AVANT QUE J'OUBLIE

ÉDITIONS VERDIER
11220 LAGRASSE

Anne Pauly

Avant que j'oublie

ROMAN

Collection « Chaoïd »

VERDIER

Collection dirigée par David Ruffel et Lionel Ruffel

editions-verdier.fr

Le soir où mon père est mort, on s'est retrouvés en voiture avec mon frère, parce qu'il faisait nuit, qu'il était presque 23 heures et que passé le choc, après avoir bu le thé amer préparé par l'infirmière et avalé à contre-cœur les morceaux de sucre qu'elle nous tendait pour qu'on *tienne le coup,* il n'y avait rien d'autre à faire que de rentrer. Finalement, avec ou sans sucre, on avait tenu le coup, pas trop mal, pas mal du tout même, d'ailleurs c'était bizarre comme on tenait bien le coup, incroyable, si on m'avait dit. On avait rangé les placards, mis la prothèse de jambe, le gilet beige, les tee-shirts et les slips dans deux grands sacs Leclerc, plié la couverture polaire verte tachée de soupe et de sang, fait rentrer dans la boîte à médicaments – une boîte à sucre décorée de petits Bretons en costume traditionnel – le crucifix de poche attaché par un lacet à une médaille de la Vierge, à un chapelet tibétain et à un petit bouddha en corne.

On avait sorti du chevet des petits sachets de moutarde, une compote abricot, un paquet de BN, *faut pas se laisser entamer,* une pince à épiler en plastique, un menu de la semaine sur lequel il avait essayé de noter quelque chose, des mots fléchés force 4, sa petite bible, un recueil de haïkus, son livre sur Gandhi, son étui à lunettes mité en skaï bordeaux, trois critériums dont un très ancien, une gomme, huit élastiques multicolores, une paire de lunettes rafistolée, deux tubes de Ventoline, un rouleau de Sopalin, son portefeuille et la fiche bristol sur laquelle il tenait sa petite comptabilité d'hôpital (télé, chambre, 18 €, 70 €, téléphone 12 €, Anne distributeur 60 €). Dans le cabinet de toilette, avec des gestes précis, j'avais réuni, dans sa trousse vert foncé le rasoir électrique plein de restes de barbe, les rasoirs Bic et la crème à raser, le bidon d'eau de Cologne Bien-Être Lavande dont il me faisait tamponner son mouchoir, la serviette-éponge et le savon, glissé dans le gant encore humide.

Mon frère avait déplié le fauteuil roulant, posé dessus la prothèse de rechange, les béquilles, le petit ventilateur Alpatec acheté chez Darty quelques heures plus tôt – la mort, s'approchant, semble donner chaud –, les sacs Leclerc, puis m'avait dit avec une douceur inhabituelle : Je descends à la voiture et je remonte. Un mec pratique, mon frère. Je m'étais retrouvée seule avec lui, mon macchabée, ma racaille unijambiste, mon roi misanthrope, mon vieux père carcasse, tandis qu'au-dehors tombait doucement la nuit. Non, tandis qu'au-dehors, en direct du septième étage de l'hôpital de Poissy – *tadaaa!* –, tellement magnifique, quelle écrasante beauté Maïté, les lumières de la ville et le ciel orangé de la banlieue. Il aimait ça, les couchers de soleil. Il nous appelait toujours pour qu'on vienne les regarder.

Les infirmières avaient fermé ses yeux, coincé son visage dans une mentonnière et habillé son corps d'une petite blouse vert pâle façon sweat-shirt. C'était triste et drôle, ça l'aurait fait rire, cette petite blouse verte qui lui cachait à peine le genou. J'ai regardé son pied violacé, la vache! le pauvre, sa barbichette miteuse et son beau visage déserté. En gardant sa grande main qui tiédissait dans la mienne, j'ai souhaité de tout mon cœur ne jamais oublier son odeur et la douceur de sa peau sèche. Je lui ai demandé pardon de ne pas avoir vu qu'il mourait, je l'ai embrassé et puis j'ai dit à haute voix, ciao je t'aime, à plus, fais-nous signe quand tu seras arrivé. Je suis sortie dans le couloir lino-néon, une aide-soignante est passée en savatant et mon frère est arrivé. On y est retournés une dernière fois, pour vérifier. Et puis on a *plié les gaules*, comme il disait toujours. La vie, cette partie de pêche.

Dans le miroir de l'ascenseur, nos gueules d'adultes, défaites. Coucou l'impact de la mort, bisous. Et la plus-que-certitude, en étant côte à côte, chacun avec sa part de gènes, qu'on était bien les enfants du défunt. On a juste dit bonsoir à une femme enceinte, souri à un interne : on s'est montrés urbains, polis, dignes dans la douleur. On a traversé le hall désert en silence, franchi la porte vitrée, atteint la voiture – *mouip mouip* – et puis on a pris l'autoroute, déserte elle aussi. Veille de Toussaint, lune claire, ciel dégagé, route à peine réelle.

Quand on a démarré, l'autoradio a relancé le disque à l'endroit où il s'était arrêté. Un CD spécialement conçu par moi pour mon frère mélomane, en souvenir de notre enfance trash mais chantante. Là encore, pas beaucoup de mots ni même de regards, juste des larmes qui perlaient et qu'on chassait d'un revers de main. Les morceaux s'enchaînaient comme autant de berceuses. Et puis tout d'un coup, un peu avant Porcheville, il y a eu *Eloise* de Barry Ryan, une déclaration d'amour, une supplique, un morceau pompier, victorieux, épique, *Eloise, You know I'm on my knees.* Un morceau un peu ringard repris plus tard pour le générique français de la série *L'Amour du risque.* Ça commence par la fin d'un fou rire, de ces rires qui se déclenchent après une bonne grosse blague et tarissent quand il faut reprendre son sérieux, puis démarrent les violons, les cuivres et la grosse caisse. C'était absurde, tant de gloriole, d'emphase et d'espoir ironique tout de suite après tant de silence et de rien. C'était drôle, tant de mise en scène et d'enflure après ce moment, ténu, modeste, où la vie s'en va sans qu'on la remarque. La bonne blague, la barre de rire. Nos rêves intenses, nos espoirs Champs-Élysées, et puis finalement, la vie crise cardiaque, la jambe en plastique et les masques à oxygène. C'était trop pour une seule journée, alors, enfin, j'ai pleuré. Des grosses larmes d'enfant, des sanglots bruyants. Mon frère m'a tapoté gentiment la nuque en me souriant et puis on a ri. Cette chanson après tout, c'était à peu près à l'image de ce qu'on avait toujours vécu avec nos parents : de l'amour, des cris, des drames, du désespoir avec, en fond, des trompettes et des violons. Le lendemain et les jours suivants, on a emprunté cette même route, de bon matin et au couchant pour aller s'occuper des papiers. À chaque fois, des cieux magnifiques, des nuages de toutes les couleurs et des couchers de soleil comme j'en avais rarement vu. Visiblement, il était bien arrivé.

Ensuite, il a fallu s'occuper des formalités. Elles ont commencé par une dispute avec mon frère aux pompes funèbres Lecreux et fils, 27600 Gaillon, parce qu'il trouvait que les cercueils étaient trop chers. Tandis que le « Mazarin », le « Parisien », le « Richelieu », le « Sully », ou le « Turenne », poignées comprises et cuvette étanche, *évoluaient vers des versions plus actuelles dans le respect de l'environnement et des familles,* on serrait les dents. Tandis qu'une certaine Jacqueline M., dans une brochure triste et fleurie, se félicitait du *déroulement harmonieux de la cérémonie,* on crevait de misère. Du racket organisé, du délit d'initié, moi monsieur, je ne marche pas dans votre marge de malade et vos combines de merde, avait dit mon frère à monsieur Lecreux fils, qui, de son côté, avait évidemment calculé une marge pour se dégager un salaire, ce qui semblait normal mais quand même un peu grossier compte tenu de ce qui venait de nous arriver. Au fond, j'étais d'accord avec lui sur l'obscénité de ce business de boîtes mais *en ce moment difficile,* ce n'était pas trop la peine de s'énerver parce qu'en réalité, la mort était déjà passée. Mon frère le tardif et ses révolutions manquées.

Mais, avec sa polaire vert sombre et son bermuda d'écolier, il a continué de monter dans les tours à toute allure et j'ai vite humé dans l'atmosphère les aigres effluves de sa violence. Un mouvement d'air familier, un assombrissement général du décor avant la fin du monde. Comme je commençais à avoir mal au ventre, le mode survie-soumission s'est enclenché tout seul. En tripotant la brochure et en regardant mes pieds, j'ai essayé tout doucement, en bonne fille adoucissante concentré fleurs de tiaré, de lui dire Jean-François, calme-toi, c'est pas la peine de te mettre en colère contre ce monsieur qui nous reçoit une veille de jour férié. Mais Jean-François, c'est un despote déguisé en guide de montagne, un alpha qui joue les Peter Pan, un Attila qui s'ignore. Alors faut pas trop le pousser sinon, il charge, et l'herbe ne repousse jamais sur ton ego défoncé. Il m'a jeté son fameux regard « dégage » et après un rictus cynique façon « Tu sais qui tu me rappelles, là ? », il a continué d'engueuler le croque-mort et j'ai fermé *ma boîte à camembert*.

Alors que, naseaux dilatés, il pinaillait sur le capitonnage satin dans un vocabulaire ampoulé, j'ai eu des remontées. Je revoyais papa couteau à la main, immense et ivre mort, courir après maman autour de la table en éructant : Lepelleux, arrête de péter dans la soie et occupe-toi de ton ménage plutôt que de sauter au cou du curé. C'est indéniable : bourré, il avait vraiment le sens de la formule, même si, dans la réalité, personne ne portait de culottes de soie ni ne sautait au cou du curé. Prodigue et ample, ma mère, tardive dame patronnesse en jupe-culotte denim, s'était, il est vrai, investie dans des activités de paroisse, qui au fond ne lui ressemblaient guère, pour échapper à ses excès à lui d'alcool, de colère et de jalousie. Voilà donc où cette histoire nous avait menés, voilà où gisaient les loyautés, me disais-je, la tête dans les mains. Aujourd'hui, qui tenait le couteau et qui pétait dans la soie ? Je ne voulais pas particulièrement faire ma châtelaine ni blesser le fils survivant mais quand même, du chêne clair, ça me semblait un peu mieux pour le dernier voyage. Le pin, ça faisait cagette, barbecue, fin de marché. Après une vie passée dans une maison bricolée sur des lits rehaussés avec des cales de bois, un peu de confort, ça ne pouvait pas faire de mal, surtout à un mort. En plus, avec une carcasse pareille, il allait falloir du solide pour aller jusqu'au trou. « Je sais que t'aimerais bien, ai-je fini par trancher en tremblant devant le commercial incrédule, mais on ne va tout de même pas le mettre dans une boîte en carton ! On va prendre le "Senanque" à 1956 euros. On a l'argent pour ça. » Tout de suite après ce moment d'audace, j'ai eu envie de me rouler en boule sous le bureau aux pieds du monsieur et de tout oublier.

Il y a eu un silence. Jean-François n'a plus rien dit. L'air dégagé, nous avons dicté le faire-part de décès à monsieur Lecreux fils qui ramait grave avec le traitement de texte, tabulation, pomme-S, épelé les prénoms et essayé de n'omettre personne dans la liste de ceux qu'il fallait mentionner comme témoins du naufrage. Nous avons paraphé des documents, signé un contrat. À la fin, il a fallu verser des arrhes. Le minotaure s'est redressé dans sa chaise pour ajouter : Tant que je n'aurai pas pu me rendre compte du niveau de vos prestations, monsieur, je ne vous donnerai pas un sou. Monsieur Lecreux a jeté un regard désespéré dans ma direction. J'ai sorti un chèque, mis un temps fou à le remplir parce que j'avais envie de rire en pensant au *niveau des presta-tions*. On s'est levés, il a salué avec un sourire de façade et j'ai serré la main du brave homme avec autant de chaleur que possible. Merci pour votre accueil, monsieur. Je vous en prie, mademoiselle, perdre son papa, ce n'est pas rien. En sortant, *ding-dong*, j'ai aspiré à grandes goulées l'air frais et noir qui circulait rue du Général-de-Gaulle. J'avais l'impression de sortir de prison. On est remontés vers la voiture en silence et j'ai quand même tenté un « qu'est-ce qui t'a pris ? » en ouvrant, par intuition, mon parapluie mental. Alors il a tout craché d'un coup avec des mots tout droit sortis du *Trésor de la langue fran-çaise* : mon *outrecuidance à préjuger de son opinion* quant à l'inhumation, ma manière d'ignorer sa *désespérance*, ma *fâcheuse tendance* à *vouloir tout précipiter*, mais aussi ma connivence avec le défunt, sans compter le complot que fomentaient contre lui des puissances internatio-nales. En guise de conclusion, avant de démarrer, il a dit : Sache-le Anne, jamais tu ne me domineras ! Bisous la famille aimante et les cœurs vaillants. Les pompes funèbres – *check*.

Une fois qu'on a eu la date supposée de l'inhuma-tion, il a fallu organiser la cérémonie du souvenir. Bizarrement, j'ai tout de suite su quoi faire. Le lundi qui a suivi, en début d'après-midi, j'ai fui la salle à manger glaciale et vide où mon frère achevait de dresser la liste des adresses où envoyer les faire-part et j'ai marché sans réfléchir vers le presbytère de Morneville pour aller voir le curé, André Barraté, ami d'enfance du défunt. André Barraté, fils de maraîcher, avait entendu l'appel de Dieu un matin de septembre 1965, dans la plaine où il récoltait des patates avec son frère. Entre deux missions à Mayotte ou en Afrique, il passait systématiquement dire bonjour à mes parents. Je le connaissais depuis toujours et ça me rassurait d'avoir affaire à lui.

Il faisait un froid de chien et mes joues décapées aux larmes me brûlaient. Je me suis enfoncée dans mon gros manteau en dépassant le château d'eau, la maison des Bordes récemment vendue et le dernier bastion d'animation avant le néant de la Grand-Rue : la pharmacie Papot, saumon et vert, illuminée comme un sapin de Noël. J'avais cru partir au loin pour accomplir des miracles et ne jamais revenir Grand-Rue à Carrières-sous-Poissy mais voilà que j'y étais à nouveau avec la sensation, au fond, de n'en être jamais partie. Ça me rappelait un film de Steve Buscemi, *Lonesome Jim* : un type avait quitté son Indiana natal pour tenter sa chance à New York. Pendant dix ans, il avait fait croire à sa famille qu'il avait un super-boulot dans la com' alors qu'en réalité, il était dog-sitter pour de riches yuppies. De retour chez lui à cause d'un frère dans le coma, il tombait amoureux de la belle infirmière croisée chaque jour au chevet du malade et choisissait finalement de rester là pour remplacer son frère à la tête de l'entreprise familiale et devenir entraîneur de l'équipe de basket. Ensuite, il se félicitait de ne pas avoir été dupe de ses illusions et se sentait finalement parfaitement à sa place dans ce nowhere qu'il avait d'abord fui. Angoisse.

Une fois devant le presbytère de l'église Saint-Joseph, une pauvre église de banlieue au crépi beige donnant sur un parking égayé par de déprimants massifs de graminées, j'ai respiré un grand coup et je suis entrée sans sonner comme on entre chez une vieille tante un peu sourde. Sous le porche, j'ai toqué à une petite porte vitrée et André est venu m'ouvrir. Le vieil homme à lunettes triple foyer, vêtu d'un pull parme tricoté main, ne m'a pas reconnue et n'a pas davantage compris mon « bonjour, je suis Anne, la fille de Jean-Pierre Pauly, il est décédé avant-hier ». Il m'a invitée à rentrer et à m'asseoir, ce que j'ai fait. Ensuite, il s'est assis à côté de moi, a ouvert ses mains sur ses genoux, et a simplement dit « Seigneur, reçois nos prières car notre frère est mort. Tu l'as rappelé à toi et nous te le confions. Puisses-tu l'accueillir dans ton royaume ». Puis il s'est retourné vers moi un peu confus : « Qui est mort as-tu dit ? — Mon père, Jean-Pierre Pauly. — Ah oui ? ah bon ? Jean-Pierre est décédé ? Mais c'est arrivé quand ? — Il y a deux jours. » Là, dans ses yeux, un petit personnage est monté sur une échelle pour allumer la lumière. « Ah ! tu es donc Anne. J'aimais énormément ta mère Françoise, une femme très bonne, d'une grande gentillesse. C'est bien triste. Pauvre Jean-Pierre. Et de quoi est-il mort ? — Il a fait un arrêt cardiaque, il avait un cancer. — Ah oui, c'est vrai. C'est bien triste pour lui. Je passais le voir quand je pouvais. Quand je pense à ta mère, quel courage… Bon. Et toi, Anne, tu es mariée ? Tu as sûrement des enfants ? »

Ce n'était pas la première fois qu'il me posait la question : en visite chez mes parents, Dieu, sûrement trompé par mes chemises chambray et ma ressemblance physique avec la sainte qu'était ma mère, avait déjà plusieurs fois cherché à me recruter parce qu'il avait besoin de *jeunes gens dynamiques* comme moi pour animer la messe et *changer le visage de l'Église,* et cette question faisait partie de l'entretien d'embauche. Mais j'avais à chaque fois poliment décliné arguant du fait que désormais, j'habitais Paris et que j'étais très occupée. L'aveuglement de la vieille Église sur le monde moderne et sa certitude qu'une foi inébranlable brûlait, malgré eux, dans le cœur de ses baptisés me faisait généralement sourire mais cette fois, elle me navrait. En quoi le fait d'être mariée avec des enfants donnait des points supplémentaires à l'heure des bilans qu'impose la mort ? Avait-on droit dans ce cas à une ristourne sur le chagrin ? Un instant, j'ai pensé lui répondre : « Non, mon père, je bois beaucoup trop pour gérer des enfants en bas âge, et en plus, je jure comme un charretier » ou « Non, mon père, j'ai vu ma mère en baver et se faire maltraiter alors j'ai décidé, à neuf ans, que je n'aurais pas cette vie-là » ou encore « Non, mon père, je suis une grosse gouine nullipare parce que le patriarcat m'interdit de faire famille avec qui je veux ». Mais, isolé au fond de sa petite église avec ses psaumes pour toute compagnie, le pauvre homme n'y était pour rien et en pareille circonstance, démolir le patriarcat me semblait particulièrement inutile.

En réalité, en pareille circonstance, je m'en foutais du patriarcat. Assise dans ce petit couloir de bois dans lequel déferlait, par une antique fenêtre, la lumière dorée de la fin de l'après-midi, je m'en foutais complètement de la domination masculine. J'ai donc juste secoué la tête et il a dit : Prions pour Jean-Pierre. Seule face à mon enfance, anesthésiée par le chagrin et sans autre obligation de représentation sociale que de donner la réplique à un vieil homme à la mémoire défaillante, j'ai articulé avec lui un *Je vous salue Marie. Priez pour nous pauvres pécheurs, maintenant et à l'heure de notre mort.*

Nous avons ensuite observé un court temps de silence et, sans autre transition, nous sommes montés à son bureau pour savoir où caser la cérémonie dans l'agenda déjà chargé de la semaine suivante. Des morts comme s'il en pleuvait, des récalcitrants qui avaient préféré tirer le rideau à la Toussaint plutôt que de passer un hiver de plus à attendre devant les documentaires de France 5, l'infirmière et le plateau-repas. Pendant un instant, j'ai bien cru qu'André, lui aussi, allait y passer, il semblait si épuisé tandis qu'il me précédait dans l'escalier. Il s'accrochait à la rampe puis se hissait sur la marche suivante avec des *han* et des *ah*. J'ai serré les dents à toutes les étapes – que doit-on faire en cas de mort d'un curé ? qui prévenir ? – mais tout s'est finalement bien terminé et nous sommes arrivés à l'étage. On a traversé son appartement et plus spécialement cette cuisine que je connaissais depuis toujours tant la vie paroissiale avait été centrale dans l'existence de ma mère. Tout y était aussi vieillot et branlant que le vieil homme qui, à présent, ouvrait sur la toile cirée à fleurs beiges un élégant agenda noir en similicuir. La semaine était déjà presque *sold out* et on s'est mis d'accord sur un créneau le mercredi suivant à 15 heures. Ensuite, on a pris un autre rendez-vous de « préparation » pour le surlendemain à 13 heures.

De retour à la maison, j'ai cherché, pour la cérémonie, des textes dans mes souvenirs et dans la bibliothèque de mon père au rayon spiritualités. Une bibliothèque presque uniquement constituée d'ouvrages de ce type, fétichisée et mise en scène avec des bouddhas, des médailles de sainte Thérèse et des cuillères à thé. J'avais le choix : *Leçons des maîtres zen, Fourmis sans ombre, Parcours spirituel d'un yogi*, les *Plaidoyer* de Matthieu Ricard, *Bienheureux Charles de Foucauld, Les Confessions* de saint Augustin, diverses vies de saint François, *Le Curé d'Ars* et enfin *Paroles pour un adieu,* un petit livre vaguement illustré de collages laids et imprécis acheté par moi au moment de la mort de ma mère. C'est celui-là que j'ai ouvert. Sur la page de garde, il notait toujours, d'une petite écriture fine, où le livre avait été acheté ou à quelle occasion il lui avait été offert, la date et sa signature. *De la part de Anne, 23 octobre 2002, Cultura, Chambourcy, JPP.*

Il y avait d'abord le poème d'Auden. *Arrêter les pendules, couper le téléphone, / Empêcher le chien d'aboyer pour l'os que je lui donne, / Faire taire les pianos et les roulements de tambour, / Sortir le cercueil avant la fin du jour.* Il aurait aimé le chien, le téléphone, mais pas les pianos et les tambours et puis ce truc était déjà dans un film. Perso, j'étais d'accord pour stopper les pendules mais comme le chagrin montait, je me suis raidie et j'ai tourné la page. Charles Péguy. *La mort n'est* rien : je suis seulement passé dans la pièce à côté. *Je suis moi. Vous êtes vous. Ce que j'étais pour vous, je le suis toujours. (…) Que mon nom soit prononcé à la maison comme il l'a toujours été, sans emphase d'aucune sorte, sans une trace d'ombre. La vie signifie tout ce qu'elle a toujours été.* Nan, trop sérieux, trop *pater familias.* J'ai continué. Apollinaire. *J'ai cueilli ce brin de bruyère / L'automne est morte souviens-t'en / Nous ne nous verrons plus sur terre / Odeur du temps brin de bruyère / Et souviens-toi que je t'attends.* Voilà qui convenait mieux. Un truc digne et modeste, simple, court, facile à lire à la tombée de la nuit dans un cimetière de province. Et puis le brin de bruyère, la vie au jardin, l'odeur de la terre, le soleil dans la ramure du noyer, ses caresses sur ma joue, son jean déchiré et ses poches trouées, l'émotion partagée autour des jonquilles au printemps et de la couleur des feuilles en automne ; en été, les promenades de rien dans le couchant poussiéreux de la plaine à jouer à poule ou coq avec les épis d'herbe, les misérables bouquets coque-licots-papier alu qu'il offrait à sa femme le jour de la fête des mères alors qu'il avait passé toute la soirée de la veille à l'insulter. Oui, au fond, ça convenait bien. Et puis sur la fin, se sachant très malade, il avait pris l'habitude de dire « à plus », pour qu'on évite de penser aux échéances et au jour où il faudrait se dire « adieu ». *Et souviens-toi que je t'attends.*

Pour la prière dite universelle, j'avais ma petite idée. Ma tante, compagne d'un mélomane qui allait d'ab-baye en cloître pour enregistrer des chants religieux grâce à un studio mobile, avait beaucoup fréquenté les boutiques des monastères. Ainsi, gravures et poteries bleu nuit signées frère Jean ou frère Paul avaient peu à peu et discrètement colonisé notre habitat. Un beau jour, probablement désespérée par l'ambiance de guerre civile qui régnait chez nous, elle avait offert à mes parents la prière de saint François, calligraphiée, enluminée et élégamment encadrée de rouge bordeaux. Quelqu'un avait décidé de la mettre dans l'entrée de façon à ce que chacun puisse contempler, en mettant ses chaussures, l'ampleur de la tâche : *Là où il y a de la haine, que je mette l'amour. Là où il y a l'offense, que je mette le pardon. Là où il y a la discorde, que je mette l'union.* Un programme d'enfer pour les enfants que nous étions, et pour eux, un appel à une trêve qui n'avait jamais vraiment eu lieu.

Jusqu'à ce que la mort vous sépare. C'est elle qui avait lâché en premier, d'épuisement. Cette prière, c'était rendre hommage à la bataille qu'ils s'étaient livrée sans relâche. André serait d'accord, mon frère aussi, je le savais. Je projetais même de la lui faire lire devant l'assemblée.

J'ai encore regardé dans la bibliothèque, comme ça, pour voir. J'ai retrouvé et réouvert un livre de Lao-tseu, le *Tao-tö king,* qui me fascinait quand j'étais enfant. À l'époque, je ne comprenais rien du tout à ces petits paragraphes opaques mais le volume m'attirait, ressemblait à un endroit où trouver des réponses. Alors je les recopiais sans autre but que d'être félicitée pour ma curiosité et mon application. Une stratégie pour me rapprocher de lui. Pour lui dire « Malgré tout, tu sais, je suis aussi de ton côté ». Souvent, tandis que je recopiais, les doigts serrés autour d'un quatre-couleurs, assise à une petite table achetée exprès pour moi, il était là à son bureau et je crois qu'il n'y faisait rien de spécial. Peut-être astiquait-il ses éternels bibelots, son crucifix ou peut-être essayait-il ses stylos-plume en répétant compulsivement sa signature sur des grandes feuilles de brouillon rose. C'était un large bureau de bois un peu prétentieux avec une carte ancienne sous un sous-main de verre. Un grand bureau plein de tiroirs dont certains avaient un double-fond et dans lequel, au cœur du pire, il enterrait ses bouteilles vides.

Ce bureau et ces livres qu'il feuilletait sans vraiment les lire sur le tao, le Japon, Montaigne et les poèmes de François Villon étaient, je crois, son rêve de sagesse, sa mise en scène à lui pour se venger d'une enfance de misère et d'un mépris social qu'il avait ressenti toute sa jeunesse. Pauvre mais avec une tête bien faite et à une époque qui le permettait, il s'était hissé sans trop de difficultés jusqu'à un emploi confortable de programmeur en informatique pour y mourir lentement d'ennui, entouré de chefaillons aussi bornés qu'agressifs, s'appropriant son travail et l'obligeant constamment à *décider d'une stratégie* et à donner *le meilleur de lui-même* pour *atteindre ses objectifs*. Il avait pourtant bien essayé d'y aller, de s'imprégner de la novlangue de l'entreprise des années quatre-vingt, de penser topo et management. Pour preuve, les *Boostez votre cerveau en dix étapes, Huit principes fondamentaux pour être performant* et autres

Faire son chemin dans la vie entassés à la cave avec les classeurs IBM. Mais trop peu sûr de lui, maladivement inquiet, entravé par le souvenir de la déchéance de son propre père et plutôt lucide sur les jeux de pouvoir qu'entraînent les responsabilités, il n'avait jamais vraiment réussi à *prendre le taureau par les cornes*. Que ses collègues, qui l'appelaient Chipo parce qu'il pétait au bureau, lui accordent leur estime et le désignent comme porte-parole quand il fallait négocier avec le chef semblait lui avoir suffi. Pourtant, l'alcool et sa soudaine passion pour le zen étaient arrivés à peu près au même moment. Au fond, on ne sait jamais vraiment si quelqu'un boit pour échouer ou échoue parce qu'il boit.

En tout cas, il se servait allègrement du zen pour cacher son autre passion. En forêt, pendant les promenades tristes et forcées du dimanche après-midi, il était fortement déconseillé de s'exclamer ou de rire. Le sentier à peine entamé, il exigeait le silence : la contemplation des merveilles de la nature n'en serait que plus intense, les petits animaux ne seraient pas dérangés et l'agencement du tout-cosmique respecté. Mais on savait bien que c'était surtout l'agencement de sa saoulerie qu'il fallait respecter. Pour ma mère, qui n'était peut-être pas très poète mais qui avait un cerveau, la « voie du milieu », le « détachement » et la « non-intervention » dont il se targuait à tout-va et particulièrement au moment de prendre des décisions importantes étaient surtout synonymes de passivité, d'égoïsme et de feignasserie. Mais si elle tentait un « On a quand même le droit de parler », elle avait invariablement droit à un menaçant « Tu fais trop de bruit, Lepelleux ». La stratégie consistait alors à le laisser prendre de l'avance avec son chien. On restait tranquilles, loin derrière, et parfois, on finissait par chanter un truc, de plus en plus fort, de préférence en canon. Le soir, si les choses tournaient trop au vinaigre, on prenait la voiture et on allait faire des tours le temps que ça se calme. Des fois, on allait même au cinéma. Ma mère adorait conduire, elle avait appris très jeune. On avait nos routes préférées, nos voies rapides, nos paysages de nuit. J'aimais comme elle prenait les virages, en souplesse et avec ampleur. La plupart du temps, elle chantait quelque chose de doux et ça me berçait. Allongée à l'arrière, je regardais tomber les lampadaires à mesure que la voiture avançait et je faisais des exercices de respiration, histoire de voir combien de temps je tiendrais sans air. Puis je fermais les yeux et je me laissais glisser dans un demi-sommeil. Je pouvais dire, aux secousses de la voiture, qu'on était sur le chemin du retour. Je ne voulais pas rentrer, elle non plus. Mais bon. Souvent, quand on tournait la clé dans la serrure, heureusement, il ronflait déjà.

Un jour, il nous avait carrément enfermées dehors, sûrement excédé que son public habituel ne daigne pas, ce soir-là, assister à son couplet éthylique gesticulé. On avait tapé une bonne demi-heure au portail. On avait sifflé, crié, mais rien. Le pire, c'est qu'on avait cru qu'il lui était arrivé quelque chose. Au bout d'un moment, peut-être parce que je commençais à avoir peur, ma mère a pris une décision. Au lieu d'appeler une vague voisine qui serait arrivée affolée, en robe de chambre et bigoudis avec des jugements plein les poches, elle a été chercher l'échelle en bois dans la remise ouverte de la cour, l'a dressée contre la façade éclairée par les lampadaires du carrefour, puis a gravi, jupe-culotte au vent, les quatre mètres qui la séparaient de la fenêtre de sa propre maison. Elle a cassé une vitre avec son foulard enroulé autour de la main, tourné la clenche, puis s'est glissée tant bien que mal à l'intérieur et est redescendue pour m'ouvrir avant de ranger l'échelle. Il ne s'est même pas réveillé. Le lendemain, dessaoulé et mis au courant, il a fait comme si de rien n'était et nous a laissées tranquilles. Encore aujourd'hui, quand j'entends, dans les reportages sur les violences conjugales, des gens s'indigner de ce que certaines femmes n'aient pas le courage de partir, j'ai envie de leur dire « J'aimerais bien vous y voir ». J'aimerais bien vous voir, un dimanche soir, la paupière bleue et la chemise de nuit déchirée, préparer une valise à la hâte pour un foyer d'urgence éclairé au néon. J'aimerais bien vous voir, couverte d'insultes et de menaces, trouver l'énergie de courir à la gare avec vos enfants pour monter dans un train sans savoir si le retour sera possible et à quelles conditions.

Au contraire de ma mère, j'ai toujours compris l'apaisement qu'il trouvait à posséder des livres et le rêve qui se cachait derrière. Pour elle, la lutte des classes, la revanche sociale, ça ne voulait rien dire. C'était péché d'orgueil. Se réjouir chaque jour de ce qu'on avait et s'en contenter, voire s'en excuser, c'était mieux. Elle était née juste avant la guerre. Ses parents, des ouvriers d'imprimerie qui s'étaient rencontrés au théâtre, avaient fui Paris pour échapper aux bombardements et au service de travail obligatoire. Ils avaient emménagé dans une minuscule longère en Normandie, au bord d'une grande route. Pas d'eau courante, mais un puits, une écurie où mettre quelques poules et un bout de jardin où faire pousser des légumes. De la place pour un chien, parfois pour un agneau. Son père était devenu laitier et homme à tout faire dans les fermes des environs. Ils étaient, paraît-il, pauvres mais heureux dans cette province riante avec ses chorales d'église, ses retraites aux flambeaux et ses banquets de chasseurs. C'est dans la religion, le chant et l'obéissance, et non dans les livres, que ma mère avait trouvé sa fierté de jeune fille et, petite, on m'avait raconté comment elle avait déchiré le cœur de toute une église avec un *Ave Maria* le 15 août de ses dix-huit ans. Les cousins s'en frottaient encore le front. Peu de temps après, elle avait commencé à travailler à la poste de la ville voisine pour aider ses parents et bien vite, la vie dure l'avait emporté sur les harmonies célestes. Et puis le mariage, malheureux et déjà violent, l'impossibilité morale de revenir en arrière, le premier enfant, la région parisienne, Renault, les blagues graveleuses à la cantine et sa belle-mère qui critiquait ses robes bleu clair et la traitait de bourgeoise parce qu'elle portait des gants à la messe. Blessée, de plus en plus humiliée dans son âme et son intelligence à mesure que les années passaient, elle avait progressivement fait une croix sur les *Ave Maria* et par extension, sur tout ce qui faisait trop rêver, livres compris. De temps à autre, elle s'autorisait la lecture d'un *Reader's Digest* « parce que les histoires finissaient bien », pleurait à chaudes larmes quand des gens gagnaient à des jeux télévisés le dimanche chez Jacques Martin et regardait avec un certain mépris les *Art de vivre au Japon* et les vies de Gandhi qu'il feuilletait avec solennité pendant qu'elle s'usait, dans une robe taille 52, à faire tourner la maison tout en travaillant comme agent de recouvrement au Trésor public.

Dans la bibliothèque il y avait aussi tout un tas de random books offerts à Noël par des cousins ou des voisins, des livres mal choisis à la veille du réveillon dans des FNAC surbondées : *Vaches de nos campagnes*, *Brèves de comptoir*, *L'Autre Visage de la Bretagne*, *Légende de la route 66*, *La Terre vue du ciel*, etc. J'ai eu honte quand j'ai ouvert les *Menus japonais pour deux* et les *Contes zen*, là encore soigneusement annotés. Moi aussi, j'avais couru à la FNAC Saint-Lazare un 23 décembre avant de prendre le train. Moi aussi, je m'étais dit « Ça fera bien l'affaire », tout comme pour le voisin ou le cousin, alors qu'il s'agissait de mon propre père. Des fois on n'est pas attentif, et après, trop tard, les gens sont morts. Et puis les *Menus japonais pour deux*, quelle idée de lui offrir ça alors qu'il était seul. Ça sonnait comme la promesse d'un moment sushi à deux, et je ne l'avais pas tenue. Comme des tas d'autres.

De là, j'ai commencé à penser aux derniers étés qu'il avait passés seul en caleçon sur son fauteuil roulant, crevant de chaleur et de solitude, branché à son appareil à oxygène. J'ai aussi pensé aux pauvres cartes postales que je lui avais envoyées d'ici ou de là : des *pensées de Carcassonne,* des *gros bisous du Larzac.* Mais quelle odieuse et égoïste conne ! Alors j'ai eu envie de le voir, immédiatement, pour lui dire pardon, je suis qu'une conne égoïste, je faisais semblant de pas voir comme c'était difficile. Je suis allée trouver Jean-François qui finissait de trier un an de courrier déposé en strates dans un carton Fraises d'Espagne et j'ai dit : En repartant, je veux aller voir papa.

À la morgue de l'hôpital, un semi-préfabriqué entouré de poubelles, on a sonné. Il faisait froid et le soleil se couchait. Sur le rose du soir se détachait la fumée qui s'échappait de l'incinérateur de déchets. Au loin, les rumeurs d'un match de foot, une moto qui démarrait. Je ne sais plus trop à quoi ressemblait le type qui nous a ouvert, c'était peut-être le même que le jour où on avait déposé les vêtements. Je me rappelle juste qu'il avait une blouse blanche et une tête de circonstance. Il était aimable de manière un peu forcée et nous a demandé de patienter dans une petite salle d'attente bleu layette assez misère où survivait une pauvre plante verte. Punaisés au mur, dans des pochettes transparentes, des règlements et des tarifs photocopiés pour que tout le monde soit bien au courant qu'au-delà du troisième jour de dépôt du corps, il fallait payer un supplément. Je détaillais tout cela quand l'assistant est revenu et nous a conduits à la chambre funéraire n° 1. Ça m'a rassurée de le voir. Il était là, étendu, long et paisible, un peu jaune dans sa belle chemise à carreaux beige et rouge. J'avais tenu à ce qu'on lui laisse son gilet chasseur multipoches, cet accessoire magique grâce auquel il transportait tout son petit bazar et dont il ne pouvait plus se passer. Il avait ses grandes mains jointes autour de son chapelet de bois tibétain et semblait dormir. Je voulais le toucher, l'embrasser. J'ai posé mes lèvres sur son front, timidement, redoutant d'être surprise par le froid, redoutant qu'il réagisse et que ses yeux ne s'ouvrent soudain grâce à la magie de l'amour. Mais non. La texture de la peau était toujours la même, c'était surprenant. Il était froid, c'est tout. Ses sourcils et ses cheveux brillaient dans la lumière, pleins de laque et de givre parce qu'il sortait d'un putain de congélo. Je suis sûre que s'il avait pu, il aurait fait une blague à ce sujet. Est-ce qu'il était là, à côté de nous, flottant en fantôme bienveillant, la main posée sur nos épaules comme dans les films? Était-il plus là que dans l'entrée de la maison où je pouvais encore sentir son odeur âcre et aillée? Je n'en savais rien. J'étais juste contente de le voir. Je me suis rapprochée de mon frère qui, les mains croisées dans le dos, le regardait en silence. Au bout d'un moment, il a dit: Toute sa vie, il nous a fait chier. C'est marrant comme je ressens rien à part de la colère. T'inquiète, j'ai pensé, le reste viendra. Mais je n'ai rien dit et j'ai mis ma main dans la sienne.

Le camp de base avait été établi chez ma tante. Impossible de rester dans la maison froide, que mon frère refusait de chauffer pour cause d'économies et où je redoutais de croiser le mort en pleine nuit à la sortie des toilettes. Il était encore tellement là que j'avais l'impression qu'il aurait pu surgir de nulle part sur son fauteuil en disant « Quoi de neuf ? Vous avez eu du monde sur la route ? ». Et puis c'était quand même dur et j'avais besoin de soutien, de chaleur, pas de cuisiner des pâtes au ketchup avec un bonnet sur la tête. Clémence, la femme de Jean-François, leur fils Tim, ma tante et ma fiancée restaient là-bas dans la journée, nous laissant à nos tâches administratives et nous attendant le soir dans une maison agréable et chauffée, avec cheminée et draps propres. En réalité, personne ne voulait se fader le minotaure qui traversait une crise existentielle particulièrement grave et qui pouvait, plus que jamais, exploser en vol à tout moment. Moi, je connaissais bien ces deux hommes et surtout la violence sourde que l'un avait transmise à l'autre, celle à laquelle les pères éduquent leurs fils et dont ils tentent ensuite de protéger leurs filles. Cette violence pouvait encore me terroriser mais je savais désormais la reconnaître et la nommer pour la désamorcer. Alors on me laissait *voir tout ça* avec lui. Par ailleurs, personne ne pouvait vraiment comprendre, à part nous, l'organisation bizarre de cette maison, les tonnes de boîtes d'Efferalgan codéiné planquées dans les tiroirs, les vingt-cinq litres de lait d'avance, les petits pois jetés sur le rebord de la fenêtre pour nourrir pigeons et tourterelles, le chauffe-eau qui marchait en tirant la bobinette et les caisses de vieux *Géo*. Mais rester là le soir, c'était voir à chaque instant, en plein salon, le petit lit dans lequel il n'osait plus se coucher de peur que la mort ne vienne l'y surprendre. Il me l'avait dit : « J'ai peur. — De quoi ? » avais-je répondu sur un ton qui se voulait rassurant. Les derniers mois, sauf quand j'étais là, il avait dormi assis dans son Everstyl de luxe, guettant chaque nuit, épuisé, la grande faucheuse devant une énième rediff des *Routes de l'extrême*.

Le soir, une fois soustraite au groupe, seule avec mon amoureuse dans un lit confortable, je pouvais me laisser un peu aller au chagrin. Il se manifestait d'une étrange façon : à voix haute et malgré moi, je prononçais plusieurs fois « Non, non, non » en secouant la tête, comme un mantra, puis, tendue comme un arc, j'enfouissais mon visage dans l'oreiller quelques minutes, histoire de voir combien de temps je tiendrais sans air. L'esprit et le corps rejetaient les nouvelles données. Que puis-je faire pour que tu te sentes bien ? Rien, tiens-moi, serre-moi fort. Elle se collait contre moi, me ceinturait en cuillère et, ainsi calée, ne sachant que dire de plus pour me consoler, elle s'endormait, me laissant seule avec mon petit théâtre d'images.

Je n'ai jamais été aussi réveillée que ces nuits-là. Je me repassais tout en boucle et surtout la scène où l'aide-soignante zélée avait provoqué l'accident.

Alité depuis trois semaines, incapable de manger quoi que ce soit, il n'avait plus que la peau sur les os. J'avais placé des coussins entre ses jambes repliées pour qu'elles ne se touchent pas. Il n'avait plus la force de rien à part de dire « Je suis fatigué ». Quelques jours avant, il m'avait raconté, à bout de souffle, qu'une jeune infirmière qu'il appréciait lui avait fait sa toilette dans le soleil du matin. « On était bien », avait-il conclu et j'étais rassurée qu'au moins une personne, dans ce service délabré, lui accordât un peu d'attention. J'avais posé ma tête près de la sienne sur l'oreiller et je pleurais en silence tandis que Julien Lepers posait ses éternelles questions. J'attendais un mot supplémentaire, quelque chose de solennel, mais rien. Rien que son bras sur mon cou. C'est l'équipe de soins du soir qui m'a délogée. Une jeune infirmière stagiaire et une aide-soignante rondelette qui parlait un peu trop fort à mon goût, sur un ton dégueulasse. Le ton « Alooors, il a bien fait popo le môssieur et il est content parce que sa fifille est là ? ». Elle en faisait des tonnes, Gladys, en tournant autour du lit comme une hyène alors que la stagiaire s'écrasait dans un coin de mur. « Comment allez-vous monsieur Pauly ? Vous savez que j'avais demandé un matelas anti-escarres à ma collègue du premier. Eh bien il est a-rri-vé ! C'est formidable non ? Ça n'a pas été facile de vous l'obtenir, vous savez monsieur Pauly, mais on va vous l'installer tout à l'heure. Ça ne prendra que quelques minutes, hein Aurore, ça ne prendra que quelques minutes de changer le matelas de môssieur Pauly ? Il faudra le gonfleur et hop, ça sera fait ! — Oui, ce sera fait » a vaguement répondu Aurore en se tournant vers moi. J'ai eu un sourire crispé plein de fausse gratitude et papa a soufflé un merci sans réussir à bouger. « Allez, on revient tout de suite avec le matelas, monsieur Pauly, hein Aurore, on revient tout de suite ? — Oui, oui, on revient tout de suite, allez, à tout de suite. » Aurore est en effet revenue presque tout de suite avec quelque chose qui ressemblait à un bateau pneumatique. Elle l'a déballé au fond de la chambre et a branché le gonfleur. J'étais seule, Jean-François était parti chez Darty acheter le ventilateur. Gladys la grosse zélée est réapparue. « Allez, allez, on y va monsieur Pauly. On va mettre votre fauteuil juste là, près du lit. Je vais vous aider à vous asseoir. » J'ai coopéré, approché le fauteuil, bloqué les freins et il s'est redressé tant bien que mal. Elle s'est approchée de lui avec un peu trop d'énergie, genre « vous allez voir comme je sais bien m'y prendre avec les malades », a fait passer ses bras décharnés autour de son cou, lui a saisi le torse et l'a sorti de son lit sans compter jusqu'à trois avant de le poser sur le fauteuil comme un paquet trop lourd. J'ai trouvé ça brutal mais je n'ai rien dit. Elles ont débarqué l'ancien matelas et l'ont posé contre le mur. Il est resté tout recroquevillé sur lui-même pendant un moment puis s'est tourné vers moi en portant la main à sa poitrine. « J'ai mal, à boire, donne-moi à boire. » Là, j'ai senti que ça s'accélérait. J'ai saisi la bouteille sur la table de nuit et je lui ai mis la paille dans la bouche. Il a aspiré un peu, les yeux vides, et toute l'eau est ressortie par son nez. Je l'ai essuyé pendant qu'il se penchait en avant pour se recoucher. Je l'ai retenu. « Attends papa, y'a pas de matelas, tu dois attendre encore un peu. » Je lui parlais fort, trop fort. « Attends, encore juste une minute. » Je me suis remise derrière lui pour le tenir alors qu'il cherchait toujours à s'allonger. Il secouait la tête en faisant des bruits bizarres tandis que le matelas n'en finissait pas de gonfler. « Encore une toute petite minute, monsieur Pauly », a hurlé Gladys qui sentait que la situation commençait à lui échapper et qu'elle avait déconné. Elles ont vite posé le bateau à peine gonflé sur la ferraille du lit et Gladys l'a littéralement jeté dessus. « Allez hop, ça y est monsieur Pauly ! » À ce moment-là, j'ai vu ses yeux et j'ai compris qu'il était mort mais mon cerveau a refusé l'information. Jean-François est arrivé avec son ventilateur pendant qu'elles ajustaient les draps. J'ai dit : Je te laisse prendre la suite, je vais fumer une clope. Quand je suis remontée, un jeune interne aux joues roses, appelé en urgence, sortait juste de la chambre. Il a essayé de nous regarder en face quand il a dit « Je suis désolé, tout est fini. Il a fait une embolie pulmonaire ». Les semaines suivantes, j'ai plusieurs fois pensé écrire une longue lettre à cette connasse de Gladys pour lui dire que si elle avait moins cherché à faire la maline, les choses ne se seraient sûrement pas passées comme ça. Mais j'ai renoncé. Si vous la connaissez, dites-lui que je ne l'oublierai pas.

Le jour dit, je me suis présentée avec ma fiancée au presbytère pour la « préparation ». Elle était là à zoner dans la cuisine, et je trouvais ça marrant d'emmener une petite-fille de communiste espagnol dans un lieu où on lui demanderait à brûle-pourpoint si elle pensait que Jésus était vraiment ressuscité. En même temps, sa grand-mère, qui s'appelait Consolation, avait collecté en cachette, tout au long de sa vie, images pieuses et fioles d'eau bénite, alors cet univers ne lui était pas totalement étranger. Au fond, je crois que je voulais montrer à Félicie ce pan-là de ma vie. Elle avait déjà eu de larges aperçus de mon « contexte » et jusque-là, rien ne l'avait vraiment rebutée. Ni le frère taciturne et cassant, ni le paternel en slip devant une télé braillant à plein tube, ni cette mauvaise habitude familiale qui consiste à toujours prendre les choses par leur pire côté. Et c'était pareil pour moi : les immersions dans l'enfance de l'une ou de l'autre, nous les avions à chaque fois vécues comme de nouvelles aventures qui valaient autant, parfois, qu'un voyage à deux dans une île exotique. Notre collection d'histoires s'épaississait aussi bien lors d'un repas de cousins éloignés qu'au rayon peinture du Castorama, qu'en voiture dans les brumes du causse ou à un vernissage mondain. Ce qui comptait entre nous, c'était la nouveauté du programme, la folle aventure au coin de la rue. Là, plongée jusqu'au cou dans la mort, à peine coiffée et avec pour seul atout charme mes compétences en liturgie catholique, je lui laissais vraiment entrevoir les fondations, les vraies, sans fard ni comédie, au risque de voir peut-être se fendiller le joli miroir de l'amour. Mais c'était à peu près la seule activité que j'avais à lui proposer. Alors je lui ai dit : Viens, c'est un drôle de théâtre, on va rigoler.

Dans la cuisine du presbytère, on nous a chaleureusement accueillies puis assises devant un café et une assiette de sablés. J'ai présenté Félicie très simplement, par son prénom, sans préciser qu'elle et moi on aimait bien s'envoyer en l'air le samedi après-midi après une grasse mat' et un bon bain. André était là, toujours en pull parme et chaussures Mephisto, et nous a présentées à ce qui ressemblait à une armée personnelle prête à s'exécuter. Il y avait Charlène et Yolande devant un cahier de chants ouvert, Eugénie devant un petit clavier en plastique et Freddy, visiblement préposé à la cafetière et au lecteur CD. Tous Antillais. Tandis que nous souriions bêtement pour masquer l'idée désagréable qui se formait peu à peu dans nos têtes, j'imaginai une brève, façon presse régionale : « Dans un bâtiment gracieusement laissé à la disposition du diocèse de Versailles par la municipalité, deux gouines gauchistes prennent part contre leur gré à une scène néocoloniale. » Mais j'ai rangé cette idée dans un petit tiroir fermé à double tour. Ce n'était pas le moment. Ces gens étaient venus par pure gentillesse un samedi après-midi pour préparer les obsèques d'un type qu'ils connaissaient à peine, sauf pour lui avoir apporté la communion les veilles de Pâques ; le curé, qui leur parlait sur un ton un peu vif à mon goût, était un missionnaire ami de la famille et allait enterrer quelqu'un qui me disait parfois, comme un homme de sa génération, « Ils sont vraiment sympas, ces Noirs, tu trouves pas ? Plaisants, chaleureux, tout… Comme les Algériens et les Marocains ». Il n'y avait donc rien à ajouter de spécial. Juste se montrer dignes de l'attention qu'on avait l'amabilité de nous porter.

J'ai toujours envié les gens, et j'en connais, capables de se lever et de partir sans un mot quand la conversation leur déplaît ou qu'ils sont pris au piège d'une situation qu'ils dénoncent. Moi je n'y suis jamais vraiment arrivée. Même pas à l'occasion de ces repas de fin d'année où on sert des blagues limites pour accompagner la bûche et renforcer le sentiment de cohésion générale. Il y a plusieurs options dans ces moments-là : avaler son gâteau en silence ; protester et s'exposer à des regards réprobateurs de type « espèce-de-bobo-fais-nous-pas-chier » ; se tenir devant l'évier à récurer rageusement un plat à gratin à la paille de fer sous une eau trop chaude en regrettant de s'être auto-reléguée à la cuisine, cet endroit charmant où se tiennent d'ordinaire les femmes, ou encore partir par le prochain train qui est dans deux heures à la gare de Vernon et se retrouver seule et fâchée, un soir de Noël, avec une grosse valise sur un quai désert battu par la pluie. Jusque-là, pour ne pas faire d'esclandre, j'avais toujours choisi l'évier. Mais je commençais à me dire qu'à la prochaine occurrence, je m'autoriserais le départ. Pour cette fois encore, il fallait faire profil bas.

Nous avons un peu plaisanté. Charlène, en secouant la tête, a dit un mot gentil sur le vieux monsieur si original qui lui faisait des drôles de plaisanteries sur son nom de famille et j'ai dû un peu réexpliquer comment les dernières semaines s'étaient passées. André m'a répété une deuxième fois que ma mère était une femme pleine de douceur et de bonté puis m'a demandé ce que j'avais choisi, en prononçant mon prénom de façon très articulée. C'était étrange d'être nommée si distinctement mais ça me faisait du bien, ça me redonnait une forme, des contours, une existence propre loin du maelström général. J'avais coché dans le *Pour préparer la célébration des obsèques* les textes qui me semblaient possibles, des choses qui s'éloignaient un peu des mystères compliqués de la foi et des fables invraisemblables dans lesquelles on multiplie les pains, on touche des lépreux sans rien attraper et où les morts se lèvent et marchent quand on le leur ordonne. Des récits à la tournure si datée que même un champion de l'homélie aurait eu du mal à les actualiser. Non, là encore, j'avais choisi des choses champêtres avec de l'horizon : un arbre où nichent les oiseaux, des grains de blé qui tombent en terre pour produire des champs couleur de miel, des *Le Seigneur est mon berger* et des *Sur des prés d'herbe fraîche, il me fait reposer.* J'avais aussi apporté la photo qu'on m'avait demandée, glissée à la hâte dans un cadre bois et or. C'était la seule grande photo que nous avions de lui. Elle avait été prise au jardin, en plein été, dans les herbes hautes chères à son enfance. C'était sa période préretraite, et, soulagé de n'avoir plus à porter de costume, il déambulait tout le jour en jeans déchiré, tee-shirt et bretelles. Les mains dans les poches, le visage un peu bouffi par la chaleur et l'alcool, il sourit à peine, un peu comme la Joconde, mais dans ses yeux on peut déceler le plaisir d'être au grand air.

Pour la musique, j'avais cherché sur des sites type « La mort clés en main » pour apprendre qu'en termes de chant d'entrée, on pouvait choisir *On Earth as It Is in Heaven* du film *Mission, Avec le temps* de Léo Ferré ou encore des extraits de Vangelis. Mais nous imaginer en plan ralenti marcher derrière le cercueil d'un cul-de-jatte avec *Les Chariots de feu* en bande-son avait déclenché en moi un fou rire nerveux. Rire ou pleurer, c'était toute la question. Moi qui fondais généralement en larmes pour une tartine tombée à l'envers le matin, je trouvais tout à coup indécent d'infliger des émotions supplémentaires aux vingt personnes qui seraient présentes ce jour-là. Dans la foule de psaumes et de cantiques divers qui me sont revenus au moment de cette recherche, j'ai donc choisi, pour l'allumage des bougies, le mélodiquement périlleux « Trouver dans ma vie ta présence », distrayante mise en abyme de la figure du père absent, même si j'étais sûre que la mini-chorale prendrait le changement mélodique du second couplet comme on dérape sur une plaque de verglas, et, pour le moment où chacun aspergerait la caisse d'eau bénite, le très sobre « Ma ténèbre n'est pas ténèbre devant toi », qui parlait, au fond, de l'épaisse obscurité dans laquelle chacun s'agite et de la manière dont on imagine naïvement que quelque chose ou quelqu'un viendra la dissiper. Une bien belle fin, un bien bel envoi.

Nous avons rapidement répété quelques chants en live et en avons réécouté certains autres grâce au lecteur CD. Freddy se trompait sans arrêt sur les numéros de pistes et l'engin tremblait dès qu'une fréquence basse se présentait mais ça donnait quand même une idée de l'ambiance qu'il y aurait ce jour-là. De temps à autre, je regardais Félicie qui hallucinait complètement. Pour les textes, André était globalement d'accord avec ma sélection. D'accord pour ne pas se retrouver coincé dans une obscure épître aux Corinthiens. Qui étaient les Corinthiens d'ailleurs ? Je n'en savais toujours rien. Petite, j'imaginais des types plutôt retors – puisqu'on leur écrivait sans arrêt pour leur dire comment se comporter

– spécialisés dans le négoce de raisins secs. D'accord aussi pour ne pas verser dans l'ambiance Vatican II, cette mièvrerie décrite par Chatiliez dans *La vie est un long fleuve tranquille,* structurée autour de ritournelles racoleuses et de refrains invraisemblables destinés à laver le cerveau encore mou des enfants et des boy-scouts. L'idée était pourtant bonne : sortir de l'intimidant latin et, dans un soudain souci socialiste et philanthrope, rendre la Parole accessible à tous en la saupoudrant d'images hippies, de guitares et de flûtes à bec. Ce qui finalement donnait des événements plutôt ridicules mais joyeux où des assemblées entières surtout composées d'enfants et de vieilles femmes, tapaient dans leurs mains au son des tambourins en chantant : Danse de joie, danse pour ton Dieu, danse la ronde de sa joie.

Bref, André était ok pour la prière de saint Augustin – *Là où il y a de la haine* – et puis pour la parabole du grain de blé qui lui semblait particulièrement pertinente. « Ton père était quelqu'un de généreux et d'intelligent, mais je le connaissais et il avait aussi ses défauts. Tu sais, un enterrement, ce n'est pas forcément faire l'apologie de quelqu'un. Je pense que c'est bien de lire ce texte parce qu'il parle de la manière de s'engager avec les autres et de donner le meilleur de soi sans compter, et ton père avait parfois du mal de ce côté-là », a-t-il expliqué pour conclure. Tu m'étonnes, j'ai pensé, presque soulagée que quelqu'un d'extérieur sache le formuler de façon aussi limpide. Ainsi, sauf les nouveaux arrivés, personne n'avait vraiment été dupe de sa façon toute personnelle de penser d'abord à lui.

Sur le chemin du retour, j'ai ressassé tout ça. C'est vrai qu'il poussait quand même le bouchon un peu loin par moments. Par exemple lors de cette délicieuse journée de juillet à la fin de laquelle le voisin m'avait téléphoné pour me dire que mon père, soixante-treize ans, unijambiste et insuffisant respiratoire, venait de se faire embarquer par les flics avec menottes et compagnie parce que, bourré dans sa voiture automatique, il s'était pris le terre-plein devant la mairie à l'heure où les enfants sortent de l'école. Heureusement, ils avaient eu pitié de lui et l'avaient emmené à l'hôpital, comme ils le font avec ces clodos hurlants aux visages floutés qu'on aperçoit dans *Vingt-quatre heures aux urgences*.

Ce jour-là, il faisait beau, la vie me semblait pleine d'infinies promesses et en raccrochant, après avoir rassuré le voisin catastrophé, j'ai décidé de ne rien faire du tout. Je crois que j'ai juste cherché à profiter du soleil qui me chauffait le visage. J'ai parcouru le quartier de long en large, observé, chemin faisant, ici une bataille de moineaux, là un tilleul qui frémissait dans le vent, donné la direction de la poste à une Américaine déboussolée, erré pour rien dans les rayons du Monoprix puis rejoint des amis en terrasse. En posant mes fesses sur la chaise tressée du café, j'avais, comme souvent, basculé de l'autre côté : j'étais l'intrépide rejeton d'un cow-boy rebelle rossé par le shérif à la sortie du saloon. Alors, après une première bière descendue en deux temps et à sa santé, j'ai dégainé mon téléphone. Mais les mystères de l'Ouest, comme ceux de l'addiction, sont impénétrables. Dégrisé mais toujours confus, il était sur le parking de l'hôpital, attendait un taxi, s'étonnait qu'on lui ait confisqué son permis. Le déni, la vraie maladie des ivrognes. « Dis donc, les mecs, y rigolent pas. J'avais à peine bu deux verres. Les menottes et tout. Ça m'a fait tout drôle. » Je n'ai fait aucun commentaire à part « Bon, ben si t'es sorti, c'est bien », songeant combien, à moi aussi, ça m'avait fait « tout drôle », enfant, qu'on frôle l'accident à chaque carrefour. Bien sûr, c'était une autre époque : on recommandait à la population de consommer de la bière les jours de canicule, les gendarmes traquaient les nudistes à Saint-Tropez, Yves Montand roulait à tombeau ouvert, sans ceinture et de nuit pour rejoindre Romy Schneider après s'être enfilé deux trois apéros, et une bonne baffe calmait efficacement les épouses récalcitrantes. Dans la France de Giscard, il fallait se comporter comme un homme et il avait joué, comme tant d'autres, la comédie de son temps. Mais il n'a jamais voulu entendre qu'il avait exagéré avec tout ça. Quand il m'était arrivé de lui rappeler, par discrètes allusions, sa période d'imprégnation éthylique, courant globalement de mes trois ans à mes quinze ans, et les dommages collatéraux qu'elle avait entraînés pour nous tous, il avait toujours répondu « Je buvais pas tant que ça. Et puis avec ta mère, on s'est jamais compris. Elle était dure, têtue, possessive. Elle te gardait pour elle ». J'ai dit « Bon papa, t'as tes clés de maison ? Ton portefeuille ? Des sous ? Oui ? Bon ben rentre bien, je t'appellerai demain ». Il a bien senti qu'on en resterait là et que sa tentative pour me faire renoncer à mes vacances avait tout simplement échoué. « D'accord ma doucine, je t'aime, hein, le taxi arrive, tu fais bien attention, tu fermes ta porte et t'éteins bien ton gaz. » C'est ça, j'ai pensé, j'éteindrai bien mon gaz.

J'ai cru que le retrait de permis, la lettre de la police, l'obligation de sobriété, ça le vaccinerait, mais apparemment, il n'était pas décidé. Quelques mois plus tard, de nouveau ivre, il s'était pris les pieds dans le tapis et s'était cogné la tête sur le chambranle d'une porte. Dans son crâne, ça avait fait un épanchement de sang et j'avais été obligée de tout planter là et de sauter dans un train pour le découvrir conscient mais comme une chiffe molle au pied de son lit, avec tout ce que ce relâchement suppose. Après trois tentatives, plutôt physiques, pour remettre le géant sur un matelas duquel il ne cessait de rouler, j'ai appelé les pompiers.

Une fois en salle d'examens aux urgences locales, il avait insisté pour que je lui serve un verre de whisky dont la bouteille, selon lui, était cachée dans l'armoire située derrière le portemanteau. « Ils n'en sauront rien, allez ma douce, je te le demande, sois un peu charitable. » Le docteur a d'abord cru que je cherchais à me débarrasser de mon vieil ivrogne de père, mais quand il lui a dit qu'il était né en 1982 et que trois et trois faisaient douze, il l'a quand même envoyé faire un scanner. À deux heures du matin, on m'a téléphoné pour me dire qu'on le transférait à Sainte-Anne pour qu'un neurochirurgien crève la poche sous-durale au vilebrequin. À son retour dans la chambre, il était redevenu lui-même et plaisantait avec le brancardier. Soulagée, j'ai ri de bon cœur à son « Bravo les gars, vous savez vraiment manier la chignole ». Pour un type qui sortait d'un semi-coma, il s'en tirait bien, mais moi j'étais quand même un peu en rogne. Parce que j'avais eu peur, que j'avais cru le perdre, et que lui, il était là à plaisanter et à faire de l'esprit. Parce que, si on résumait, on se retrouvait encore là à cause d'un verre de trop. Et puis parce que je finissais par me demander, en feuilletant un énième *Paris-Match* sur un énième siège médicalisé en skaï saumon pourquoi c'était toujours lui dont il fallait prendre soin.

Et la fois où, juste avant Noël, un staphylocoque doré avait attaqué sa jambe coupée parce qu'il ne se lavait pas, et celle où il avait laissé dégénérer la petite ampoule qu'il avait au pied jusqu'à ce que sa peau parte en lambeaux… Le seul avantage de toutes ces péripéties, c'est qu'on connaissait les services d'urgence de la région comme notre poche et qu'on avait développé des dons particuliers pour extorquer des infos aux aides-soignantes ou dénicher vite fait la machine à café. On en riait même. Moi, je finissais toujours par lui trouver des excuses : sa mélancolie, sa solitude et son ennui que rien n'avait jamais suffi à combler, le rendaient fou. Mais mon frère, lui, ça ne l'émouvait pas tout ce cirque, cette foire à la victime, cette agitation autour du pauvre vieux négligé par ses enfants ingrats.

En général, après ce type d'événement, une fois le danger éloigné, je prenais un peu mes distances, le temps de trouver ça rocambolesque, d'en plaisanter, hahaha, avec des amis. Je lui faisais payer ses frasques avec encore plus de distance et de silence, plus de sonneries dans le vide et de répondeurs, ce qui n'était pas un si bon calcul puisqu'entre-temps, la culpabilité me dévorait et qu'à la visite suivante, par effet boomerang, il réclamait plus. Ces trêves de quelques semaines, c'est moi qui les payais puisqu'en arrivant, j'avais le choix entre éponger un seau de pipi venant à l'instant de se renverser sur la moquette du salon ; dissimuler des tisons anciens aux quatre coins de la maison pour qu'il puisse se défendre si surgissait un voleur ; monter sur un tabouret branlant pour cacher des dossiers importants en haut des armoires ; redescendre vingt fois au jardin parce que la branche de lierre qu'il voulait repiquer dans un pot à bonsaï n'était pas coupée à la bonne longueur ; ôter les yaourts périmés et les fruits pourris d'un sac plastique écrasé au pied du lit ; décoller une peau de banane séchée incrustée pour moitié dans la poubelle et pour moitié dans le papier peint à cause d'une estimation malheureuse des distances ; débarrasser une table pleine de bols sales, de pelures d'ail, de nouilles chinoises décomposées et d'emballages de Kiri ou calmer une crise d'angoisse qui survenait dans la douche quand le jet s'approchait de la tête ou que la mousse du shampoing gagnait les yeux. Je faisais quand même de mon mieux, d'abord en l'engueulant copieusement, puis, un peu calmée, en soupirant aussi bruyamment que possible et en levant les yeux au ciel comme une adolescente. C'était un jeu entre nous, un système d'un autre temps auquel je ne pouvais me soustraire. Il poussait, il poussait, et je pliais, en me rebiffant d'abord puis avec une abnégation toute catholique. Mais au bout du compte, je finissais toujours par étreindre, embrasser et soigner ce corps si vulnérable que j'avais craint si longtemps pour sa folie et sa violence. Je savonnais, rinçais, séchais, frictionnais son grand dos voûté, crémais ses interminables bras et ses grandes mains élégantes. Des machins redoutables et puissants qu'il n'avait jamais levés sur moi, des battoirs rectangles loin, très loin des paluches courtaudes et poilues qu'on observe parfois chez des hommes plus urbains mais de moindre envergure. J'étais aussi chargée de la tonte : une fois tous les mois, je lui faisais la boule à zéro, ôtais les poils de sourcils géants qui tombaient sur ses paupières et m'étonnais en riant que ses oreilles et son nez continuent de grandir. Après la coupe, il enfilait un tee-shirt propre, roulait péniblement jusqu'au miroir de l'entrée et s'observait un moment avant de dire « Merci ma douce, c'est très bien, me voilà tout propre, tout neuf » alors qu'il avait plutôt l'air d'un repris de justice tout juste sorti d'isolement et que, étant passée un peu trop à même la peau, des taches rouges d'irritation explosaient sur sa nuque d'hémophile. Pourtant, il restait beau car en lui, les âges se superposaient : son corps cédait, son visage s'affaissait mais son esprit restait intact malgré les divers anesthésiants légaux ingurgités au fil des années. Et, lors de ces soins qui m'offraient une proximité avec lui que je n'avais jamais vraiment eue avant, j'apercevais parfois, au détour d'un coup de gant, le jeune homme spirituel et dégingandé coincé dans le corps du vieillard. Dans ce corps fatigué, il y avait aussi, sous la peau blanche, molle et desquamée, encore un peu de superbe, une certaine allure, un tombé d'épaule, une arrogance, une manière de se tenir debout devant un lavabo, même à bout de souffle et sur une seule jambe. Parfois, quand je me vois sur des photos, je décèle un peu de ce quelque chose et je suis fière d'en avoir hérité même si c'est aussi ce qui m'éloigne des standards acceptables du féminin.

Mais s'il fallait donner un palmarès, je décernerais un prix spécial à ce soir d'été où, parce qu'il jetait chaque soir du pain rassis et des trognons de pommes par la porte-fenêtre, un gros rat noir avait grimpé à l'étage par le tronc de la vigne vierge et s'était réfugié sous le canapé où je dormais. Cette fois-là, quand même, j'avais gueulé parce que j'avais halluciné de me retrouver à quatre pattes pour chasser un putain de rat à coups de balai. Depuis, quand quelqu'un essaie de m'expliquer l'esprit du punk, je le laisse dérouler.

On a passé le reste de l'après-midi à trier les notices de médicaments, ordonnances, relevés de compte, factures, cartes, courriers, annuaires et offres promotionnelles Aviva, Belles Maisons, Chauffage Magique, Fabuleuses Fenêtres, France Abonnements, Incroyables Plantes, Prévoyance Décès, Renault l'Entreprise et Tirages Exceptionnels qui encombraient la table du salon. Il ne s'agissait pas de vider, juste de ranger. On mettait de l'ordre pour y voir plus clair. On y mettait notre ordre, celui des vainqueurs et des prévoyants, celui, autoritaire et fanfaron, de ceux qui « gèrent bien » leur vie. Nous découvrions pourtant peu à peu que, malgré l'apparent chaos dans lequel nous pensions qu'il se complaisait, il avait tenu ses affaires correctement jusqu'au bout. Les factures, bien qu'en vrac, avaient, par exemple, toutes été honorées en temps et en heure avec, sur le récépissé, la date et le numéro du chèque. Pas de dettes, pas de crédit caché. Jean-François avait bien du mal à se décider sur le type de classement à adopter et multipliait, fébrile, les pochettes et sous-pochettes qu'il titrait soigneusement au critérium. J'avais suggéré un gros feutre violet pour plus de lisibilité mais il m'avait rétorqué qu'avec le crayon à papier, on pourrait gommer et réutiliser. On était ensevelis sous les papiers qui dégueulaient des placards et des tiroirs et lui, il pensait recyclage. Qui va se resservir de ça ? Toi ? avais-je répondu, mauvaise. Mais il avait l'air tellement perdu que je n'avais pas insisté. Il avait aussi essayé de me persuader de mettre des timbres verts sur les faire-part sous prétexte d'empreinte écologique mais j'avais résisté. M'enfin, Jean-François, les gens vont recevoir ça, il sera déjà six pieds sous terre. Nous étions finalement et péniblement arrivés à un compromis : il enverrait par courrier lent seulement les faire-part destinés à ses propres amis. S'il préférait être seul comme les pierres le jour de l'enterrement de son père, c'était son problème. Lors de cette âpre négociation à base de « il m'est apparu que » et de « je te fais valoir mon point de vue », je passais encore pour la cheftaine qui veut *tout régenter* et lui pour le poète incompris. Quels étonnants échos… Tout était si tendu entre nous que je ne donnais pas cher de nos relations quand tout serait terminé.

En réalité, j'angoissais énormément à l'idée qu'il n'y ait personne à cet enterrement et que nous soyons seulement six à constater que sa pauvre vie n'avait servi à rien et qu'elle n'avait marqué personne. Avec la solitude qu'il avait cultivée et le handicap qui le clouait dans sa maison, je me demandais qui viendrait hormis la famille proche. J'avais envoyé des faire-part à la dame qui apportait les repas, aux voisins, au docteur et même aux infirmières. Les cousins d'Alsace étaient trop vieux pour se déplacer, son vieil ami Claude avait sombré dans les théories complotistes avant de se suicider au gaz et sa sœur, qui vivait aux États-Unis et qui n'était pas de la famille pour rien, s'était contentée de pleurnicher au téléphone sur son propre exil au lieu de nous dire quelque chose de réconfortant. Elle voulait « faire dire des messes » plutôt que de prendre un billet d'avion. La belle affaire. Par téléphone, j'avais aussi prévenu Annie, une de ses copines de jeunesse, désormais responsable, à la mairie des « Activités seniors ». Je lui avais demandé de prévenir ses camarades de cantine et de mots croisés au cas où, même s'il n'y allait plus depuis plusieurs années.

J'avais aussi cherché, au hasard des carnets et cahiers où il écrivait, chaque jour dans les bonnes périodes, ce qu'il avait dépensé ou à quel organisme il avait téléphoné, et dans lesquels figuraient également, pêle-mêle, citations entendues à la radio, indices de coagulation, dates d'anniversaire, rendez-vous médicaux, titres de livres et interminables listes de courses, des noms supplémentaires, la trace d'autres gens auxquels il aurait pu tenir sans que nous en sachions rien. Et dans un carnet presque neuf, décoré d'un gros smiley ridicule, après les coordonnées d'un artisan menuisier et avant le petit dessin au stylo bleu d'une carabine, j'ai découvert un numéro de téléphone et un prénom dont chaque lettre avait été entourée. Juliette. C'était elle que je cherchais.

Elle apparaissait régulièrement dans ses agendas de jeune homme, ceux d'avant ma mère, qu'il avait gardés et que j'avais explorés en même temps que sa bibliothèque. Enfant, vu la tempête dans laquelle nous vivions, je n'avais jamais osé poser la question mais, trois ans avant sa mort, un soir, je m'étais lancée. On venait de lui diagnostiquer son cancer et, mue par l'urgence étrange qu'avait provoquée cette nouvelle, j'avais voulu qu'il me parle de lui, de son enfance, des souvenirs essentiels.

Il m'avait raconté les pièges à lapins posés dans la plaine avec ses copains de classe : On faisait des feux de camp et tout, on jouait aux trappeurs ; la guerre et les bombardements : J'étais de l'autre côté de la Seine quand ils ont bombardé le vieux pont, j'avais neuf ans ; son père qui était venu les chercher, lui et sa mère, en Alsace avant que la frontière ne se ferme après l'annexion officieuse du territoire par les Allemands : Il a hésité parce qu'il laissait ses oncles, ses tantes, ses cousins, mais il ne voulait pas rester. Il a pleuré, je m'en souviens. On est passés juste à temps et on est remontés à Paris. Ma mère à moi, elle était d'ici. Ben oui, ça tu le sais. Il m'a aussi dit l'affection qu'il portait à son père, un homme *bon comme le pain,* boucher de profession, qui avait mal supporté la mesquinerie des gens du coin et s'était enfoncé dans la dépression, l'alcool et la méchanceté. Puis étaient venus

les dettes, la faillite de la boucherie et, enfin, son accident mortel dans la compagnie de car où il était simple
employé. Il s'est fait rouler dessus. C'est ta mère qui est
venue me chercher au bus. Je rentrais de l'usine. Elle m'a
dit : Ton père est mort, il s'est fait écraser. J'ai pas eu le
courage d'aller voir le corps, ni ma mère d'ailleurs, et
puis Marie-Louise était trop petite. C'est Françoise qui
s'en est occupée. On n'a jamais vraiment cherché à savoir
ce qui s'était passé. Il y a eu un rapport de police mais
pas vraiment de poursuites. Ma mère a eu sa pension de
veuve, c'est tout. Enfin, il m'a avoué, un peu gêné, que sa
grand-mère lui avait prédit que, étant né un 13 décembre,
il porterait la poisse à tous les gens qu'il rencontrerait :
Tu seras un enfant du malheur, elle m'a dit. Elle m'a
aussi annoncé que je mourrais noyé, c'est pour ça que
j'ai jamais pris un seul bateau et que je me baigne jamais.
C'est aussi pour ça que tu te laves le moins possible ?
avais-je ironisé. Il avait ri.

Je n'en revenais pas de toutes ces révélations. Ça n'ex-
cusait rien, mais ça expliquait certaines choses, sa trouille
de tout, cette façon qu'il avait d'attendre que le ciel lui
tombe sur la tête, ses difficultés à avoir une prise sur le
réel. Pour le grand-père, je connaissais quelques détails
mais jusque-là, on m'avait surtout raconté que c'était un
ivrogne… qui battait sa femme. Comme si ceci expliquait cela et que les individus n'étaient, somme toute,
que le résultat d'une concrétion d'atavismes. Quant à
la fameuse « prédiction », sans être dupe de sa facilité
à toujours se placer du côté des victimes, je me suis

vraiment demandé ce que les adultes avaient dans la tête pour raconter des bêtises pareilles à des petits enfants. « Et Juliette alors ? C'est qui ? — Juliette C. C'est une fille que j'aimais bien. Je l'ai rencontrée au collège à Poissy. On s'entendait bien, je la faisais rire. Mais je me suis fait renvoyer parce que j'y allais à vélo et que j'arrivais en retard. Le surveillant refusait que je rentre alors que j'avais parcouru tous ces kilomètres. Et puis, tu sais, ils me cherchaient. J'avais pas de quoi m'acheter des feuilles, ni même de stylo, alors les profs ne voulaient pas de moi dans leur cours. À force, j'ai laissé tomber et j'ai trouvé du boulot chez Renault. C'était mieux pour ma mère parce qu'on n'avait vraiment pas un rond. Avec Juliette, on s'est perdus de vue. Après, elle est devenue infirmière. Elle voulait voyager, aller en Afrique. Elle s'est mariée, elle a eu des enfants. Je crois que ce que j'avais à proposer, c'était pas assez pour elle. — Et tu n'as pas cherché à la revoir ? — Si, mais chacun avait sa vie. Je l'ai recroisée une ou deux fois à Poissy, c'est tout. Je l'ai aussi appelée après la mort de ta mère. Mais l'année dernière, j'en pouvais plus d'être seul alors j'ai pris mon courage à deux mains et je lui ai téléphoné. Elle était veuve aussi et ses enfants étaient grands. J'ai proposé qu'on se rencontre mais elle n'a jamais voulu. — Et c'est tout ? — Ben j'ai rappelé plusieurs fois mais elle ne voulait toujours pas me voir, elle disait qu'elle ne pouvait pas, que c'était bien comme ça. Alors j'ai laissé tomber. »

J'ai enfoui le petit carnet dans ma poche et je l'ai gardé contre moi, comme un trésor de guerre. Je n'ai parlé à personne de ma trouvaille. Sans trop savoir pourquoi, ma peine était soudain plus légère, je crois même que j'ai fait des blagues pendant le trajet retour vers la Normandie. En arrivant, je me suis isolée dans une chambre en disant que j'avais besoin de faire une sieste. Je ne savais pas si je faisais bien de faire ce que j'allais faire. Peut-être était-ce indiscret, mais j'ai pris mon téléphone et composé le numéro. C'est une femme qui m'a répondu. « Bonsoir, excusez-moi de vous déranger, j'aurais aimé parler à madame Juliette C. — Oui, c'est moi. — Bonsoir madame, excusez-moi de vous déranger. J'ai trouvé votre numéro dans l'agenda de mon père, monsieur Jean-Pierre Pauly. Je ne sais pas si je fais bien de vous appeler, mais je voulais juste vous prévenir qu'il était décédé dimanche. » J'ai entendu son souffle se couper et il y eut un court silence. « Mon Dieu, Jean-Pierre… Que c'est triste. Et ne vous inquiétez pas, mademoiselle, vous avez bien fait de m'appeler. Vous êtes sa fille Anne, n'est-ce pas ? » Elle me connaissait donc. « Oui, c'est moi. » Sa voix tremblait un peu et j'ai senti, avec un certain soulagement, qu'elle était vraiment émue. C'était étrange de parler à quelqu'un dont je n'avais jamais vu le visage mais qui savait qui j'étais. « Je m'excuse de vous déranger à cette heure, mais j'avais l'impression qu'il fallait que je vous le dise. — C'est gentil de me prévenir, vous ne me dérangez pas. Pauvre Jean-Pierre. Votre père et moi, on s'est connus quand on était écoliers, on était très amis et puis le destin a décidé autre chose… On s'est un peu perdus de vue et chacun a fait sa vie, mais je ne l'ai jamais oublié. On se parlait de loin en loin. Il était si gentil, si timide. Drôle aussi. Excusez-moi, je suis un peu émue… Ça m'attriste énormément et j'ai beaucoup de peine pour vous. » Moi aussi je commençais à avoir la gorge qui se serrait. « Et quand seront les obsèques ? — Elles auront lieu dans deux jours, à l'église de Carrières. — Ah bon. Bon, d'accord. Je ne sais pas si je pourrai venir vous savez, peut-être… — C'est comme vous pouvez, comme vous voulez, je tenais juste à vous prévenir. — C'est très gentil de m'avoir téléphoné en tout cas. Je dois raccrocher. Soyez heureuse, mademoiselle, votre père aurait voulu que vous le soyez. Je vous embrasse. » Je n'avais pas envie qu'elle raccroche. Bizarrement, c'était la seule personne qui, ces derniers jours, m'avait dit quelque chose de sensible et d'encourageant et en plus, elle m'embrassait. « Merci. Merci beaucoup. Au revoir madame. — Au revoir. » Je suis restée un moment à contempler le plafond, les moulures jaunies et poussiéreuses et les cloques du papier peint, puis j'ai mis le carnet à l'abri, dans l'étui de mon violon. Il n'avait laissé aucune indication concernant ses dernières volontés à part l'endroit où il voulait reposer mais, avec ce coup de fil, j'avais, pour la première fois depuis sa mort, eu l'impression de faire quelque chose d'utile en rendant hommage à cette toute première partie de sa vie pendant laquelle, peut-être, il avait été heureux.

C'était en rentrant de vacances début septembre. J'ai vu, tout de suite. Il avait entendu la grande porte du bas claquer et s'était approché, comme toujours, de la porte d'entrée avec son fauteuil roulant depuis lequel il m'avait tendu les bras en souriant. « Tiieennns, regarde qui voilà!» En trouvant refuge dans sa clavicule, le nez dans le coton parfumé de son tee-shirt, je me suis dit, ça y est, c'est parti, et je l'ai serré plus fort et plus longtemps que d'habitude. Il avait le masque : je le savais et il le savait. Le masque. Celui dont la mort affuble les gens avant de les emporter, comme pour mieux les reconnaître. Celui qu'il avait vu sur sa mère, sur sa femme, sur le visage des gens croisés au hasard des couloirs d'hôpital et sur d'autres encore. Un jour il m'avait dit « Je peux voir que les gens vont mourir. Chez Renault, j'avais vu que Fernand était malade, alors qu'il ne le savait même pas lui-même. Tu te souviens de mon copain Fernand ? Un cancer de la gorge, ça l'a emporté vite. Tu sais, le teint cireux avec les pommettes qui te sortent du visage… Ça, ça veut dire que t'es baisé. »

Il s'est dégagé pour reprendre son souffle, peut-être un peu gêné. J'ai posé mon sac, j'ai dit : Je crève de soif, c'est dingue ce qu'il fait chaud, faut que je boive de l'eau et je me suis ruée dans la cuisine. Il a péniblement fait demi-tour avec ses roues, a désemberlificoté le tuyau d'oxygène qui s'était pris dedans et s'est dirigé vers le salon en me posant les questions d'usage : Alors ces vacances ? Tu t'es bien amusée ? Qu'avez-vous mangé ? Vous n'avez pas eu trop chaud ? Attends j'arrive papa, je bois un coup d'eau et je me lave les mains. Pas de bordel effarant sur la table de la cuisine, ni de casserole pleine de vermicelle moisi sur la gazinière, juste la boîte de médicaments, un bol de café froid à moitié plein, un verre posé sur une feuille de Sopalin pliée en quatre, des emballages d'Efferalgan, une seule assiette sale dans l'évier. La femme de ménage était passée mais quand même… J'ai rempli un second verre d'eau et je l'ai rejoint à la table de la salle à manger où il finissait sans y croire une grille de mots croisés force 5 devant deux petites bougies à moitié consumées et la photo de ma mère. La dernière d'elle. Elle est malade, essaie de sourire dans son polo blanc. Une photo d'identité, agrandie et surpixélisée, mal positionnée dans un cadre de bois clair sur lequel il avait scotché comme un cochon une minibranche de buis – *la paix du Christ*. Le verre qui la protégeait était poisseux parce que, chaque soir, il y déposait un ou deux baisers après un petit rituel marmonné où surnageaient des « je t'aime » et des « maman ». Alors ma douce, raconte-moi. J'ai baissé le son de la télé, et en mettant les piles d'ordonnances et de factures à l'équerre, j'ai résumé. J'ai parlé de la garrigue et du massif de la Clape, des cigales, des marais à la tombée du soir, des lotissements qui dévoraient le paysage, de la cinglée à la fête foraine qui avait mis un kilo de chantilly sur ma gaufre, de la mère de Félicie qui avait tendance à se fâcher avec ses voisins, de la montagne Noire et de l'abbaye de Villelongue. Oui merci pour ta carte, ça m'a fait drôlement plaisir, ça avait l'air beau, la nature alentour. Mais au lieu du sempiternel : Et vous vous êtes fait un *petit gastos*? Vous avez mangé des huîtres, des moules-frites? C'est bon ça, une bonne jatte de moules avec des frites. C'est difficile à préparer des moules marinières? ou du rigolard : Alors, m'as-tu trouvé un petit chapelet en corne?, il a enlevé ses grosses lunettes d'écaille qui lui faisaient des yeux de grenouille et m'a regardée : J'ai une drôle de tête hein? Ouais, c'est vrai que t'as pas l'air en super-forme. Il était pâle, jaune et gris, creusé. Je sais pas ce que j'ai, je me sens vraiment fatigué, a-t-il dit en passant vigoureusement la main sur son visage comme pour l'effacer. On savait tous les deux très bien ce qu'il avait. Son ventre avait démesurément grossi alors qu'il n'avait presque rien avalé les dernières semaines. Il avait soulevé son tee-shirt pour me montrer. J'ai dit : Bon, c'est pas terrible ça. Dors-tu ? Prends-tu des calmants ? Presque pas, je n'ose pas m'allonger parce que j'ai peur d'étouffer et puis avec les cachets, j'oublie des trucs. En l'interrogeant encore un peu, j'ai découvert qu'il était comme ça depuis au moins une semaine et qu'il avait attendu que je vienne le voir pour téléphoner au docteur. Il est presque dix-neuf heures, le cabinet doit être fermé, on appellera demain, t'inquiète, si ça se trouve, c'est pas si grave. En attendant, en désespoir de cause, on a résumé ce qui n'allait pas et il l'a noté sur une petite feuille pour que la doctoresse ne s'en tire pas, comme souvent, avec une prescription d'anxiolytiques ou d'antalgiques. J'ai retrouvé cette note en rangeant ses affaires : « J'ai 35,8 », « Je m'endors », « Faiblesse », « Pas d'appétit », « Mal dans les reins », « Mal à l'estomac », « Peut-être de la vitamine C ». En examinant sa graphie, je m'aperçois qu'il devait souffrir davantage que ce qu'il consentait à montrer : son écriture d'ordinaire soigneuse, fine et acérée n'était plus que lettres molles et impré- cises, tracées avec un effort évident, un peu comme un fil qu'on essaie de garder tendu. De manière générale, il ne se plaignait jamais d'avoir mal sauf dans les cas extrêmes, et c'était toujours difficile de savoir où il en était sur l'échelle de la douleur. Souffrant depuis l'adolescence d'ulcères aux jambes, il avait développé face à elle une résistance presque surnaturelle. Elle était sa vieille amie : il savait comment lui parler, comment la faire taire. À peine amputé, brandissant un moignon façon dinde recousue, il avait trouvé le moyen de nous dire : J'ai un peu mal mais ça va se passer, petit à petit, tout doucement. Pas un gémissement n'avait franchi la barrière de ses lèvres et au bout de trois mois environ, il s'était lancé dans un trafic de shit avec le jeune motard qui partageait sa chambre au centre de rééducation. Il m'en avait parlé l'air de rien à un moment où ma mère était descendue à la cafétéria. « C'est quoi cette résine brune qu'on met dans le tabac ? C'est dangereux pour la santé ? Je voudrais pas prendre de risques. » Des risques… On se tapait deux cents kilomètres trois fois par semaine pour venir le voir dans le trou du cul de l'Oise et lui, il voulait savoir si la drogue, c'était mauvais pour la santé ! J'avais grimacé en lui fournissant les informations demandées. Fais gaffe quand même, c'est pas très sérieux de refumer. C'est aussi à cette époque, après une longue période d'abstinence, qu'il avait découvert que la morphine et, à moindre échelle, la codéine, remplaçaient avantageusement l'alcool. Quand j'étais petite, il m'attendait sur le parking, dans la voiture, pendant que j'allais lui acheter du vin à l'épicerie du coin. Adulte, j'étais montée en grade pour devenir la préposée officielle au trafic d'opiacés avec la pharmacie. Mon père, ce junkie.

On s'est tus pendant un moment et on a regardé par la fenêtre ouverte. Sur la place de la mairie, de nouveaux massifs. La municipalité avait cet été-là préféré aux habituels pétunias une décoration minimale faite de plumeaux, de morceaux d'ardoise et d'affreuses sculptures en fer rouillé. On se demande ce qui leur passe par la tête pour imaginer des trucs pareils, hein? Une grosse dame en talons, boudinée dans un ensemble violet, promenait un chien aussi dodu et fatigué qu'elle. Tu l'as vue, cette femme et ses *jarrets d'acier*? On a souri. Des ados sont passés à trottinette. Le jour s'achevait. La vie, aussi laide que cocasse, suivait son cours, un soir de septembre, place de la mairie, à Carrières-sous-Poissy. Et c'était terrible. Avec qui allais-je désormais pouvoir m'en amuser?

Il a dit: Bon, je vais regarder un peu les infos. J'ai proposé pour le dîner des œufs au plat et des ravioles de Roman et je l'ai laissé devant sa télé quelques minutes. J'ai dressé la petite table avec une belle nappe et des verres à pied. Je lui ai apporté ses deux couteaux suraiguisés, sa planche de buis, sa gousse d'ail, son pot de cornichons, de l'eau pétillante, de la moutarde, du sel, quatre sortes de vinaigre, une petite bouteille de bordeaux, du pain mou et, sur un plateau, toutes ces choses auxquelles il tenait et pour lesquelles j'étais d'habitude obligée de retourner vingt fois à la cuisine. Mais ce soir-là, il n'a rien demandé de particulier. Il n'a même pas découpé son ail. Il a avalé ses œufs sans plaisir, refusé le vin. Il grimaçait, cherchait son souffle tandis que dans le poste, une connasse en tailleur pastel parlait de la rentrée des classes. Je me sentais triste et bête : d'avoir présumé de ses forces et de son appétit, d'avoir produit à mon insu cette mise en scène absurde, façon dernier repas. J'ai dit : Bon, n'insistons pas si tu n'as pas faim, essaie de t'allonger puisque je suis là. Je vais plutôt me mettre dans mon Everstyl et puis on l'inclinera. Ok si tu veux. J'ai tout plié en quatrième vitesse pour l'installer. J'ai ouvert la fenêtre en grand, augmenté le débit d'oxygène pour que l'effort soit possible, actionné la télécommande du fauteuil tout confort à housse lavable qu'on vend une fortune à des gens qui vont mourir dans six mois. Des fauteuils à la con : sur Le Bon Coin, on en trouve des centaines, pris en photo dans des intérieurs marron sous tous les angles et dans toutes les positions. Particulier vend arrogante merveille de sophistication mécanique pour corps délabré stade final. Très peu servi. Prix à débattre.

Dans son état de fatigue, la manœuvre relevait plus que jamais du numéro d'équilibriste et si j'avais pu lui donner ma jambe gauche et mes poumons, je l'aurais fait. Une fois qu'il a été assis, j'ai fait jouer les commandes « tête » et « pieds » jusqu'à trouver l'angle qui lui convienne. J'ai fait un peu des allers-retours avec les boutons, délicatement, pour lui arracher un sourire mais ça n'a pas marché. Il était déjà pris par l'angoisse de ce qui allait advenir. Il m'a attirée à lui. Fais-moi un p'tit lebec. Je l'ai serré dans mes bras puis embrassé sur le front en disant : Ça va aller papa, le docteur nous expliquera quoi faire. Que lui dire d'autre ? La suite était, de toute manière, impossible à imaginer, pour lui comme pour moi. Je l'ai bordé avec une petite couverture douce et je suis allée faire la vaisselle. Après, on a regardé la télé sans rien se dire de particulier en se tenant la main. C'était trop tard pour les grandes déclarations. Et puis au fond, j'en savais bien assez. D'ordinaire, pour nous protéger du tour imprévisible et désagréable que prenaient parfois les événements, nous avions la tendresse. Mais ce soir-là, elle paraissait bien insuffisante. Un peu rassuré, il a fini par s'assoupir, au moins deux bonnes heures. Ensuite, il a voulu s'allonger dans son lit et alors qu'il reprenait, en étouffant, son sommeil là où il l'avait laissé, je me suis étendue contre lui quelques instants. Pour faire barrage, pour protéger son dos de la nuit et du grand courant d'air, comme il m'avait protégée, à sa façon, du découragement et de la douleur de vivre, les portant à ma place, et, ce faisant, me laissant le loisir de ne pas trop y penser. Bientôt, je serais seule à me débattre avec tout cela mais, pour l'heure, tout ce qui comptait, c'était de sentir sa chaleur, son odeur et de l'entendre respirer. Encore.

Au matin, j'ai dû partir travailler. J'aurais pu rester avec lui, me faire porter pâle ou dire, tout simplement, que j'avais besoin des vingt et un jours ironiquement prévus par la loi pour « l'accompagnement d'une personne en fin de vie » mais devoir le formuler devant la RH, une quinqua sadique à lunettes demi-lune, me faisait suffoquer d'avance. Et puis, en réalité, cette obligation de se rendre au-dehors pour accomplir une tâche même terne et ennuyeuse me permettait de garder la tête hors de l'eau : ma vie à moi avait un sens, une direction, une ligne de fuite, elle ne sombrait pas lentement vers la mort et l'oubli. Me laisser entraîner vers le fond, même momentanément, était au-dessus de mes forces. Je voulais prendre le train, retrouver mon boulot de merde dans la fourmilière, ricaner bêtement avec mes trois amis autour d'un bol de cacahouètes, rentrer chez moi et faire comme si de rien n'était.

On était mardi. Le docteur est venu le jour même et l'a immédiatement envoyé à l'hôpital pour une IRM. Ils l'ont gardé. Son ventre était envahi d'ascite qu'il a fallu dès lors ponctionner quotidiennement. Ma tante s'est chargée du transfert, de l'intendance, du courrier, et je suis venue tous les soirs après le travail. La panse à l'air, il ressemblait à une baleine échouée d'où sortaient tout un tas de tuyaux. Des litres de liquide infectieux s'écoulaient dans une grosse jarre de verre au pied du lit tandis que ses poumons, décomprimés, retrouvaient l'espace nécessaire pour se gonfler. Les premiers jours, il était confiant, comme à son habitude, et nos conversations sont restées étrangement banales, comme emprisonnées en surface : Qu'est-ce que j'avais mangé ? est-ce que ma journée s'était bien passée ? est-ce qu'il y avait du monde dans le train ? Je répondais vaguement puis lui renvoyais la balle : T'as mangé ? Ça te soulage un peu la ponction ? Est-ce que tu veux que je te rafraîchisse le visage ? Oh oui, s'il te plaît, avec un gant et le savon à la lavande mais surtout, je voudrais que tu me rases avec le rasoir électrique, il faut faire des petits mouvements circulaires en remontant tu vois, en tendant la peau, oui, comme ça. C'était devenu une obsession, cette histoire de rasage, mais je comprenais qu'il veuille faire bonne figure. Au bout de la route, peut-être, mais le visage net. Bravement, j'essayais de tendre la peau entre pouce et index et de tourner, comme expliqué, pour ôter la fine Émeri blanche qui colonisait ses joues et le haut de son cou. Je passais et repassais, sans beaucoup appuyer pour ne pas irriter davantage son corps déjà souffrant mais je n'obtenais que des résultats approximatifs. Sur les pommettes et à la commissure des lèvres, sur un fond de peau déjà rouge, des poils récalcitraient. Ils se tortillaient malgré tous mes efforts pour les éradiquer, et je soupirais de devoir les laisser là, un peu indignée qu'ils nous narguent ainsi de tout leur petit ressort alors que par ailleurs la vie déclinait massivement.

Sinon, il occupait l'espace par procuration avec ses dingueries habituelles : Ouvre la fenêtre, un peu plus, un peu moins, encore un peu plus, non, encore un peu, encore un petit peu plus ; ferme le store, un peu, un peu moins, remonte-le, descends-le, encore un peu, encore un tout petit peu plus. Je râlais.

Le lendemain soir, débarrassé du drain, il avait retrouvé un peu d'énergie et il a insisté pour aller marcher dans le couloir. Je l'ai aidé à enfiler sa prothèse devenue dix fois trop grande, sa jambe de plastique couleur chair et son unique chaussure, puis à se lever. Il est sorti de la chambre 302 tambour battant dans un cliquetis de béquilles. Je l'ai suivi tant bien que mal, la perf à roulettes dans une main et la bouteille d'oxygène dans l'autre. La vue de ce vieil échassier déplumé au ventre énorme, seulement vêtu d'une petite casaque de coton à imprimés bleus et d'un slip trop grand a effrayé une mamie en robe de chambre qui passait par là à pas de souris. Cette dégaine, cette absence de gêne physique dans la façon de se présenter au monde, c'était tout lui : il vandalisait par sa seule présence l'imaginaire des secrétaires et des comptables, leur renvoyait en pleine figure et en un instant, l'inanité de leurs efforts pour avoir l'air d'être quelqu'un dans le monde étroit qu'on leur proposait. Ces prestations punk s'accompagnaient parfois de phrases absurdes qui, semblant surgir de nulle part, ajoutaient à l'incrédulité de l'interlocuteur. En d'autres circonstances, s'il avait vu la grand-mère se carapater dans sa chambre, il lui aurait peut-être souri et lancé un sonore « Restez avec nous Mamie, on va faire des crêpes ! » pour achever de la terroriser. Mais l'heure n'était plus à l'humour ni à l'effet produit sur autrui. Il cherchait, je crois, à faire un rapide état des lieux de ce qui fonctionnait encore dans la mécanique de son corps : s'il se dressait, si les membres obéissaient, c'est qu'il y avait encore de l'espoir. Le marathon s'est malheureusement achevé à la machine à café, cinquante mètres plus loin, dans un essoufflement considérable et j'ai dû aller chercher le fauteuil roulant au pas de course. En slalomant entre chariots de soins et sacs de linge pour le ramener à sa chambre, je me remémorais ses blagues aux autres culs-de-jatte croisés dans les vastes ascenseurs du Grand Centre de la jambe en moins. « Vous aussi, vous vous êtes réveillés comme ça ? » leur lançait-il avec un petit sourire, sous-entendant que ces malheureuses mutilations étaient moins le résultat d'une hygiène de vie déplorable que le grand œuvre d'un chirurgien maniaque. Personne ne lui avait jamais répondu. Mon Dieu, que son humour allait me manquer.

Au bout d'un moment, le silence des infirmières et des aides-soignantes sur l'état du patient est devenu franchement suspect. Elles se contentaient de soigner, d'apporter tel ou tel médicament et de dire « à tout à l'heure » avec un sourire de tous les jours. À chaque question, elles se dérobaient avec un « Vous verrez ça avec le médecin ». Mais du médecin, je n'avais vu, jusque là, qu'une vague signature. Le jour suivant, j'ai donc essayé d'obtenir des informations. La tactique consistait à les interroger séparément, à chacun de leurs passages, en leur servant du « et vous, qu'en pensez-vous ? » jusqu'à découvrir le maillon faible : cette personne, un peu plus humaine et libre que les autres, qui accepterait, à voix basse et entre deux portes, de donner son avis à titre personnel. J'ai fini par la trouver : elle s'appelait Sandrine et, malgré son jeune âge, avait l'air d'avoir eu plusieurs vies. En quelques mots et par allusions, en me regardant bien dans les yeux après s'être assurée que j'irais pas cafter au docteur, elle a laissé entendre que les choses s'annonçaient carrément mal et que dans son état, très grave, l'important était qu'il ne souffre pas. C'est vrai que j'aurais aimé avoir plus de détails, par exemple sur le quand et le comment. Parce que les détails, mademoiselle, ça permet de rester concentré, de voir venir, de s'habituer, d'anticiper, d'imaginer un plan. J'aurais aussi aimé que quelqu'un, enfin, utilise le mot qui correspondait à la situation, un verbe en deux syllabes, pourtant facile à prononcer et à conjuguer, voyez plutôt : je meurs, tu meurs, il meurt, nous mourons, vous mourez, les gens meurent. Vous savez, mademoiselle, ça ne nous effraie pas, croyez-moi, on en a vu d'autres. Remballez vos hésitations parce que là, on n'a vraiment pas le temps de tergiverser. Mais j'ai dit merci, merci beaucoup pour votre franchise, ça me donne une idée.

Alors, que t'a dit cette jeune demoiselle ? Rien de spécial, papa, je lui ai demandé à quelle heure se terminaient les visites parce que Jean-François a dit qu'il viendrait vendredi soir. Sinon, le docteur passera te voir demain. Ah, c'est bien. Je crois que ça s'arrange un peu, j'espère qu'il va me laisser rentrer à la maison.

Une fois le sinistre plateau-repas débarrassé et la crème dessert planquée dans la table de nuit, on a joué à un nouveau jeu intitulé « Remplis la carafe ». Il était sous diurétiques et on lui avait interdit de boire plus d'une certaine quantité d'eau. C'est vrai, avant de crever tout court, autant commencer par crever de soif. Depuis son lit, dans le brouhaha désagréable de la séquence régionale du 19/20, il m'a dit : Sers-moi un verre d'eau, s'il te plaît. Je me suis exécutée. Il l'a descendu d'un trait. Puis il a dit : Un autre. J'ai versé un autre verre. Encore un. Pas de problème, papa. Maintenant tu sais ce que tu vas faire ? Tu vas reremplir la carafe… J'ai fait la moue. Je ne voulais pas jouer à ce jeu. En soupirant, j'ai répondu que c'était pas conseillé, que l'infirmière avait été claire sur ce point. Elle n'en saura rien, regarde, tu me verses encore un petit verre et puis tu remplis la carafe au même niveau que tout à l'heure. Il a insisté, j'ai refusé. Il a insisté de nouveau. J'ai dit : Tu exagères. Il a dit : Allez, sois charitable. J'ai dit : Commence pas. J'ai lutté encore un peu mais en moins d'une minute, je lui ai servi un autre verre et je me suis retrouvée devant le lavabo. J'ai rerempli la carafe et je l'ai reposée devant lui. Elle était moche cette carafe, rayée, terne, opaque, laide. Aussi laide que la situation. Il y a trop d'eau par rapport à tout à l'heure. Je suis revenue sur mes pas et j'ai vidé un peu d'eau. Ah bah maintenant, y'en a pas assez, elle va le voir. J'ai rerempli. Non, y'en a un peu trop. J'ai vidé. Encore un peu. Ça commençait sérieusement à m'énerver, cette histoire de carafe. J'ai revidé, rabattu bruyamment, en passant, le couvercle du chiotte, par pur agacement, ne comprenant pas bien pourquoi un homme de soixante-dix-sept ans au bord de la mort devait craindre les remontrances d'une infirmière, pourquoi je me retrouvais à remplir et à vider une carafe, comme ça, sans raison valable et contre toute sagesse, et pourquoi, depuis toujours, il me faisait jouer cette partition. J'avais beau tourner ça dans tous les sens, je ne comprenais pas la métaphore. Je finissais par me dire qu'il n'y en avait aucune, que j'étais juste, et depuis une éternité, le membre valide qui lui faisait défaut et qu'au centre de ces faux échanges, il n'y avait décidément que lui. J'ai refermé un peu trop fort la porte du cabinet de toilette, posé brutalement la carafe sur la table à roulettes. Et là ? Ça va aller là, le niveau ? Tu t'énerves ? Je vois bien que tu t'énerves. T'es bien comme ta mère… agressive, impatiente… En serrant les dents j'ai dit : Non, pas du tout, je m'énerve pas du tout, mais là je dois y aller, mon bus passe dans dix minutes et si je le rate, je serai bonne pour descendre à la gare à pied. Il s'est radouci. Bon, d'accord. Sois bien prudente en rentrant, hein ? Mais avant de partir, ouvre un peu la fenêtre, s'il te plaît, j'ai trop chaud. Un peu, un peu plus, un peu moins, non, encore… parfait ! Allez, salut papa, à demain. Je l'ai embrassé sans le regarder. Le temps de compter jusqu'à dix, j'avais enfilé mon manteau, pris mon sac et quitté la chambre en claquant la porte. Il allait mourir et, comme toujours, je n'avais qu'une envie : partir. Partir le plus vite possible avant que sa névrose et ses angoisses ne me contaminent davantage.

Le lendemain, il m'a téléphoné vers 15 heures. C'était pas normal qu'il m'appelle en plein après-midi. Mes collègues étaient au courant de la situation mais l'affaire ne les concernant pas directement, chacun vaquait, casque sur les oreilles, à ses occupations. Je ne voulais pas déballer mon chagrin en plein open space. Ma fonction, subalterne, qui consistait à éditer des papiers sur des drames familiaux et des disparitions mystérieuses, et que venaient régulièrement ponctuer des pages « Vie pratique », me rangeait déjà, dans cette entreprise pourtant « familiale », du côté des incapables et des passifs. Une crise de larmes inopinée, même justifiée, m'aurait fait perdre le peu de crédit que j'avais gagné à m'énerver sur le bon emploi des adverbes et des points-virgules. J'ai sauvegardé les précieuses corrections effectuées sur

« Cinq astuces pour un chat en bonne santé » et j'ai couru dans les toilettes pour pouvoir décrocher à temps. C'est là, devant la vasque en marbre rose et les miroirs bonne mine, que la réalité m'a craché son acide au visage. Il avait la voix solide, articulée, celle des grandes occasions. Et il est allé droit au but : Ma fille, je t'appelle pour te dire que j'ai vu le docteur et que c'est foutu. Mais comment ça, foutu ? Qu'est-ce qu'il t'a dit ? Il m'a dit que ça avait métastasé partout et que je guérirais pas. Il a proposé une chimio mais j'ai dit non, ça sert à rien. Selon lui, il me reste pas beaucoup de temps. Voilà, je voulais te dire ça. Je t'ai fait un petit chèque, j'en ai aussi fait un à Jean-François et un à Claudine comme ça, ça sera plus agréable pour tout le monde. Je les ai préparés, ils sont dans mon tiroir de table de nuit.

C'était tellement clair que je n'ai rien trouvé à ajouter. J'ai juste plié les genoux jusqu'à me retrouver par terre, sous le lavabo. Tout se tordait en moi comme on essore une vieille éponge. Je n'ai rien pu dire non plus à propos de cette histoire de chèque. Ça aussi, c'était tout lui. Tu t'es fait plaquer ? Je vais te faire un petit chèque. Tu es déprimée ? Un petit chèque. Tu ne sais pas ce que tu vas faire de ta vie ? Un chèque. Ces sommes, que j'encaissais piteusement, me donnaient pourtant, dans les périodes sombres, la possibilité de me faire plaisir. Ça ne résolvait rien en profondeur et ça ne remplaçait pas un bon conseil mais ça permettait de prendre du recul, de moins penser aux factures, d'avoir une certaine liberté de mouvement. Il ne se mêlait pas de nos vies, nous laissait globalement agir comme bon nous semblait, sans juger ni punir, estimant peut-être que ma mère avait déjà fait le boulot pour deux ou, plus simplement, incapable de nous donner une direction concrète, n'en ayant pas pour lui-même. À de nombreuses occasions, nous aurions nettement préféré avoir son avis plutôt que son soutien, des mots plutôt que de l'argent, d'autant que ces chèques ressemblaient parfois à des dédommagements sans qu'on sache bien ce qui était à racheter. La vie est une garce. Un chèque. Tu m'as supporté pendant quatre jours. Un chèque. Tu es harcelée par une cinglée bipolaire. Un chèque. Tu t'es cassé le poignet. Un chèque. J'ai tué ta mère à force de la faire chier. Un chèque. On a passé un super-week-end ensemble. Un chèque. Tu pars en vacances. Un chèque. Je vais mourir. Un chèque. Je lui disais que c'était pas la peine, que j'avais un boulot désormais, que m'occuper de lui était normal, que je n'avais pas besoin de contreparties, mais il insistait. Je ne veux pas que tu manques ou que tu te retrouves sans argent. J'en ai tellement manqué quand j'étais jeune. J'ai tellement manqué de tout. Prends-le, t'es pas obligée de le dépenser. Sois économe, prudente et surtout, éteins bien ton gaz.

Voilà, c'était l'heure. On est tous descendus du Kangoo moutarde de Jean-François, un utilitaire assez peu confortable aux amortisseurs fatigués qui nous avait bien fait sentir chaque creux et chaque bosse de la route, comme pour nous signifier qu'en ce jour morne et brumeux, on allait se faire secouer. Quelqu'un avait mis France info pour maintenir les émotions à leur niveau minimum et le trajet s'était déroulé dans un silence relatif, seulement rompu par les élucubrations enfantines de mon neveu. Il était inquiet et faisait son possible pour donner l'impression d'être un grand en posant, avec un vocabulaire choisi, des questions techniques sur la manière dont les choses allaient se dérouler. Est-ce qu'on verrait Papy encore une fois ? Et de quoi il aurait l'air ? Est-ce que son cercueil serait ouvert ? On a commencé par lui préciser que l'âme du grand-père était déjà sûrement partie et que c'était juste son habit de chair qu'on allait accompagner jusqu'au cimetière. J'ai expliqué qu'on l'avait mis dans un frigo pour qu'il ne devienne pas tout flétri comme une vieille patate, pensant que ça pourrait l'aider à y voir plus clair. On lui a aussi dit qu'il n'était pas obligé de voir l'intérieur du cercueil et qu'il pourrait attendre dehors avec sa mère. Il a juste opiné avec un air sérieux et, avec toute la délicatesse dont les enfants sont capables, a gardé pour lui les questions suivantes sur le pourquoi de la mort, l'endroit où partaient les âmes et pour y faire quoi.

On était tous sur notre trente-et-un. Chacun avait revêtu l'habit sombre qui lui semblait correspondre à la situation. Mon frère avait, par exemple, tenu à mettre le blouson en cuir de ses vingt ans qui, par une sorte de miracle, lui allait encore parfaitement. Il avait beaucoup minci, ces derniers mois, à cause d'une passion nouvelle et brutale pour la marche qui s'était déclarée quelques temps plus tôt sans qu'on sache bien pourquoi – chacun se tient en vie selon ses moyens. Quant à moi, j'avais mis ma plus belle chemise blanche et m'étais munie d'un long parapluie noir avec lequel je me surprendrais, plus tard dans la journée, à faire d'amples et inutiles moulinets. En parcourant les cinquante mètres qui séparaient le parking de la chambre funéraire, tous vêtus de noir, j'ai eu un bref instant l'impression qu'on allait braquer un casino. Au-dehors, avec mon père et mon frère, avant que ma mère ne me kidnappe pour faire de moi une fille, j'avais toujours eu cette sensation, presque physique, d'appartenir à une horde puissante et respectée au-delà des frontières du royaume, à une meute d'individus farouches aux corps de Huns, brutaux mais justes, réunis par le hasard et la nécessité pour faire face aux coups fourrés du destin. Mais en vrai, nous n'étions qu'une bande de pieds nickelés en manteaux Kiabi et, sans Ribouldingue, Croquignol et Filochard risquaient désormais d'errer sans but en terre du Milieu.

C'est le même type à la gueule de passe-muraille qui nous a ouvert. Il s'est reculé devant nous à petits pas en regardant ses pieds comme si tout ça était de sa faute. Dans la salle d'attente, il y avait déjà un grand flic sinistre qui portait une valisette, deux zombies endimanchés des pompes funèbres et l'aumônière laïque de l'hôpital, une petite femme menue, affable et fripée qui, déambulant en veste bleu marine dans le service oncologie, ressemblait sans le vouloir à l'ambassadrice de la mort. Elle avait pourtant l'air d'être habitée par une foi sincère, rien à voir avec ces dindes replètes bardées de bons sentiments qu'on trouve à la sortie des églises ou dans les kermesses. Elle était plutôt de ces femmes brunes et sèches, aux yeux clairs et aux cotonnades passées, arrivées de Tarbes ou de Pau dans les années soixante-dix par voie de concours administratif, qui semblaient avoir un jour, au seuil de la retraite, jeté maris, cendriers et réunions syndicales pour retourner à Dieu. Elle était venue le voir plusieurs fois mais, lorsque nous arrivions, elle s'éclipsait souvent avec un sourire doux et un « je reviendrai », s'adressant toujours à lui en le regardant dans les yeux. Elle me donnait l'impression d'être une de ses vieilles amies, perdue de vue depuis des lustres. Je n'ai pas vraiment cherché à savoir de quoi ils parlaient, jalouse autant qu'heureuse qu'il puisse exister, seul et debout, dans l'oreille neuve d'une femme inconnue. Agacée, aussi, d'avoir encore à faire à un agent de la réconciliation qui nous avait suivis jusque dans cette chambre pour nous sommer de faire la paix. On l'avait signé l'armistice, des années auparavant. Par étapes. Une première fois quand il avait lâché sa bouteille et que tout le monde avait pu reprendre sa juste place dans cette famille de cinglés. La guerre des tranchées s'était enfin achevée : les pertes étaient importantes niveau joie de vivre et confiance en la vie, surtout pour le fils, mais en ce qui me concernait, on avait trouvé des arrangements. Sa vraie personnalité, enfin débarrassée des hardes puantes de l'alcool, était ressortie : un contemplatif fin mais gauche, gentil mais brutal, généreux mais autocentré, dévoré par l'anxiété et la timidité, incroyablement empêché. Un touriste de la vie. Contre toute attente, le monstre était humain, vulnérable, attachant. Les dernières négociations avaient eu lieu après la mort de ma mère. Il avait eu du mal à s'en remettre mais il était resté plus ou moins droit dans ses bottes pour nous, pour moi, et ce deal, ça m'allait à peu près. Pourtant, il y avait des zones d'ombre et des pilules mal avalées : jamais, par exemple, il n'avait formulé le moindre regret pour ce qu'il nous avait fait subir, niant même que nous puissions en porter les stigmates. Cette femme l'avait, je crois, juste encouragé à dire qui il était : où il était né, où il avait travaillé, quand il s'était marié, d'où venaient ses parents et que faisaient ses enfants. Mais que dit-on de soi à un inconnu au bord de la mort ? Quel est le dernier récit ? Lui avoue-t-on combien, par angoisse de vivre, on a gâché la vie de ses contemporains ? En entrant, j'ai salué cette femme d'un simple signe de tête, vaguement persuadée qu'elle avait, elle, eu droit à un bilan et peut-être à des excuses, alors que j'avais passé des heures à écumer les pauvres épiceries de la cité voisine pour lui dénicher des BN goût vanille.

On s'est tous réunis autour du cercueil pour l'avant-avant-dernier adieu. On était à peu près aussi immobiles que les deux gros bougeoirs sans bougies posés là pour égayer la pièce. Tout le monde regardait le macchabée en silence, qui, flottant sur une petite garniture de satinette blanche, ressemblait presque à une communiante. L'aumônière a timidement entonné une prière que nous avons récitée à mi-voix avec elle. Les gars des pompes funèbres ont fait semblant de marmonner un truc et le flic a regardé ses chaussures. Le silence est retombé pendant quelques minutes. Tim s'était mis sur la pointe des pieds et tendait le cou pour voir ce qu'il y avait dans la caisse.

J'ai attendu que mon frère donne le top départ mais il n'a pas bougé. C'était son droit le plus strict de refuser de porter le flambeau, ce jour-là comme ceux qui suivraient, mais la journée était loin d'être terminée alors je me suis lancée. J'ai tendu mon parapluie à la laïque, qui, avec sa face d'espérance, incarnait soudain et pour une obscure raison ce que je détestais le plus au monde, tenez-moi ça, s'il vous plaît, et je me suis approchée. J'ai détaillé encore une fois son visage, sa bouche, ses mains, remarqué une vilaine tache de gras sur sa veste, et je l'ai embrassé. Dur comme du bois, déjà parti. D'ailleurs, pour nous aussi, il était temps d'y aller. Les autres ont suivi, gentiment, qui l'embrassant, qui lui caressant la joue. On a hissé l'enfant pour qu'il puisse toucher le mort mais finalement, il a eu peur et a voulu sortir. Une fois la ronde achevée, le flic s'est baissé en nous tournant le dos et a ouvert la mystérieuse petite mallette qu'il avait posée dans un coin. On a entendu des petits bruits métalliques et le type s'est relevé en brandissant une perceuse-dévisseuse flambant neuve. Il s'est avancé solennellement, tenant l'engin comme un flingue. Les zombies ont apporté le couvercle et l'ont posé sur la boîte. Tandis que le zombie n° 1 ajustait, le zombie n° 2 a commencé à lire le procès-verbal de mise en bière avec un gros cheveu sur la langue. Au deuxième paragraphe, le flic s'est approché et s'est mis à visser. *Vzzzzt.* « Ladite opération a été faite… » *vzzzzt* « …avec tout le respect dû aux morts… » *vzzzzt* « …et en prenant toutes les mesures utiles en pareilles circonstances… » *vzzzzt* « …À Poissy… » *vzzzzt* « …le 4 novembre 2012 » *vzzzzt* « …par l'agent Guy Colineau ici, présent ». L'agent Colineau, bricoleur dans l'âme, a apposé, en plus, un sceau de cire pour être bien sûr que personne n'ouvrirait plus la boîte et Jean-François a signé en bas à droite. Tout le monde s'est serré la main avec un certain soulagement et le zombie n° 1 a conclu en remettant sa frange droite : Nous vous retrouvons à l'église dans une demi-heure. Ça, c'était fait. Tout occupée de la suite des événements, je n'ai même pas pensé à être triste.

Le corbillard était déjà devant l'église. On était restés sobres sur les fleurs : le cercueil disparaissait sous différentes gerbes de lierre allant du vert foncé au jaune clair, avec, de loin en loin, quelques gerberas et chrysanthèmes blancs mais pas plus. C'est chic le lierre, plus élégant qu'on ne le croit. J'étais quand même intimidée. Il allait falloir saluer, serrer des mains, sourire un minimum. Heureusement, je m'étais préparée : l'enfant en moi, je l'avais envoyé dans sa chambre avec interdiction de sortir jusqu'au soir, quant à la pleureuse, j'avais dilué un Lexomil dans son café. Elle flottait là, près de moi, comme un fantôme, avec une certaine indifférence. Aux autres, je ne laissai voir que mon être de conversation. Celui que j'avais dressé, pendant toutes ces années, dans les bars, à parler de tout et de rien avec n'importe qui. Sur le parking, les gens se tenaient en grappes. D'un côté, la vieille cousine et la marraine de ma tante, de l'autre, la famille de Clémence ; près des massifs, trois femmes de la paroisse et monsieur Langlois, le voisin. Madame T., la femme de ménage – qui l'avait vraiment aidé pendant toutes ces années – était près de la porte de l'église avec son mari, un homme aussi chauve que minuscule. Il y avait aussi Marie, ma seule bonne copine d'école et ses parents, des gens très spirituels dont la gentillesse me rassurait. Enfin, collés contre l'arrêt de bus, il y avait mes trois amis que Félicie était allé chercher à la gare. Je me suis dirigée vers eux en premier parce que ça me faisait plaisir de les voir. Ils m'ont tous serrée dans leurs bras et pour ne pas faillir, j'ai commencé par un point météo – Ça caille, non? –, ironisé sur le décor puis je me suis excusée d'avance pour la cérémonie à venir. « Je suis désolée, camarades gauchistes, de vous obliger à fraterniser avec l'ennemi. Mais vous survivrez, n'est-ce pas? — T'inquiète, le curé a l'air cool et du moment qu'on boit un coup à la fin, moi, ça me va… » a répondu David qui savait toujours dédramatiser n'importe quelle situation. De fait, André traversait la rue d'un pas vif dans son aube immaculée suivi de Yolande et Freddy. Je suis allée à sa rencontre et je lui ai fait la bise. Des grosses bises qui ont claqué un peu trop fort et que j'entends encore. Pour les vieilles ouailles coincées qui campaient devant la porte de l'église, c'était sûrement inconvenant mais c'est le premier mouvement qui m'est venu. Au fond, c'était comme ça depuis toujours: je prenais des libertés avec l'Église et le camarade Jésus. Et puis après tout, un peu de chaleur ne nuisait pas car nous étions vivants. On n'a pas eu le temps d'échanger deux mots que Rolande, la vieille cousine, une femme volontaire en robe Marcelle Griffon et gros clips d'oreille dorés, pas du genre à mollasser, s'est jetée sur lui de dos et un peu fort pour lui demander s'il y avait des toilettes quelque part parce qu'elle avait besoin de faire pipi et qu'elle n'allait pas pouvoir attendre vu l'état de sa vessie. Cette soudaine avalanche de démonstrations corporelles qui juraient avec la solennité supposée du moment a vraiment eu l'air de l'embarrasser et il s'est dégagé au plus vite, par une habile volte-face, des griffes de cette bruyante entité. Mi-sec, mi-gêné, il lui a indiqué le presbytère, en face, la porte bleue à gauche, vous verrez, et a désigné Freddy comme accompagnateur. Puis il s'est éloigné pour serrer quelques mains et j'ai fait pareil en cherchant, du coin de l'œil sur le parking, une femme qui aurait pu s'appeler Juliette.

Il était 14 h 35. André a battu le rappel et a dit : Allez, on y va ! Les zombies, plus nombreux qu'à la chambre mortuaire, ont sorti la boîte du corbillard et se sont mis à avancer au pas jusqu'à la porte, immédiatement suivis par le curé puis par moi et ma fiancée. Avant de fouler l'allée centrale, j'ai saisi Félicie par le bras puis lui ai chuchoté : C'est le grand jour, t'es prête ? Nous n'aurions, pensais-je, plus d'autre occasion d'avancer bras dessus, bras dessous dans l'allée centrale d'une église et, d'une certaine façon, c'était bien mon père qui m'accompagnait jusqu'à l'autel. Elle n'a pas compris mon allusion mais ça m'a fait sourire pendant quelques instants. J'imaginais qu'au synthé, Eugénie, déjà en place avec la chorale, jouait les premières mesures de la *Wedding March*. Mais pas du tout. On s'est mises au premier rang, côté gauche, Jean-François et sa famille côté droit. Une fois le cercueil au centre et bien en vue, Yolande, Eugénie et les crécelles qui les accompagnaient ont entamé « Trouver dans ma vie ta présence » tandis qu'André prenait place derrière l'autel, soutenu par Freddy. C'était faux. C'était affreux. C'était affreusement faux. Tim a allumé avec sa mère les quatre candélabres qui entouraient le cercueil et on a pu commencer. L'assemblée s'est levée dans un bruit de tissu froissé et André a dit : Nous voici aujourd'hui rassemblés pour adresser un dernier adieu à notre frère Jean-Pierre et l'accompagner dans la foi de Dieu pour son dernier voyage. Nous partageons aujourd'hui le chagrin de ses enfants Jean-François, Anne, Clémence, Félicie, de son petit-fils Tim, de sa belle-sœur Claudine mais aussi de sa famille et de ses amis…

J'ai regardé la boîte, les gens, la photo, la chorale, les bougies et c'est là que j'ai réalisé que je ne le verrais plus jamais. J'ai mis mes deux mains devant ma bouche pour étouffer le sanglot qui s'emparait de moi et qui s'est bizarrement mué en un gémissement de loup. J'ai regardé Félicie qui, elle aussi, pleurait à chaudes larmes. Je ne pensais pas qu'elle serait aussi émue. Je lui ai caressé la joue et elle m'a pris la main.

…Mais nous avons aussi une pensée pour Françoise, son épouse, décédée avant lui. Une femme bonne, chaleureuse et bienveillante qui répandait le bien partout où elle passait… On s'est de nouveau regardées : ça recommençait. À chaque fois que, pendant la semaine, j'avais annoncé aux uns et aux autres que mon père était mort, on m'avait invariablement répondu : Ah oui, c'est bien triste. Mais ta mère, rololo, quelle sainte femme ! La boulangère le disait, la voisine le disait, le curé le disait et même une vieille de Carrières qu'on avait prise en stop. On se souviendrait plus d'elle que de lui, de celle qui avait porté le paquet que du paquet lui-même. C'était comme ça, il fallait se faire à l'idée. C'était un peu triste mais cette ironique redite nous a rendu le sourire pendant un court instant.

Ce fut la messe la plus longue de toute l'histoire de la chrétienté. Rien ne s'enchaînait bien, les textes étaient trop longs, trop courts et les crécelles s'égosillaient tandis que la photo du défunt glissait lentement dans son cadre. André, qui, nous le découvrions, avait la voix et les inflexions de Michel Serrault dans *Deux heures moins le quart avant Jésus-Christ,* ne trouvait pas ses pages, se prenait les mains dans les manches de son aube, soufflait et s'énervait méchamment après Freddy. Il semblait à l'agonie et à chaque mouvement qu'il faisait, nous avions l'impression que ce serait le dernier. Il s'est beaucoup répandu sur ses souvenirs, a reparlé de ma mère et a redit trois fois qu'on n'était pas là pour faire l'apologie du mort qui avait, quand même, était-ce encore nécessaire de le rappeler, beaucoup de très gros défauts.

Le fou rire nous a pris après l'homélie. Normalement, après son laïus, le prêtre s'assoit et garde le silence pendant quelques minutes, le temps que nous autres, pauvres pécheurs, ayons le temps de réfléchir un peu sérieusement à tout ce qu'on fait de travers, puis il reprend en disant : Acclamons la parole de Dieu. André, lui, s'est assis dans son fauteuil et a fermé les yeux. Au bout de cinq minutes, il n'avait toujours pas bougé. On commençait à s'inquiéter. Des gens se sont mis à tousser pendant que le visage de Freddy se décomposait. C'est Eugénie qui a trouvé la solution en plaquant, sur son clavier, quelques accords agressifs. André a sursauté et s'est levé d'un bond en hurlant : Acclamons la parole du Seigneur. L'assemblée, soulagée, a répondu de bon cœur : Louange à toi, Seigneur Jésus.

Ensuite, il y a eu la « paix du Christ » – un moment très étrange pour les non-initiés pendant lequel chacun se tourne vers son voisin pour lui serrer la main –, la communion, le dernier texte, puis les gens ont défilé pour bénir le cercueil. Tous ces petits rituels nous avaient bien détendus mais quand même, on n'en pouvait plus, ça faisait deux heures qu'on était là-dedans. Certaines personnes s'étaient rassises, d'autres bavardaient, l'enfant commençait sérieusement à s'agiter et la vieille cousine s'était mise à faire des commentaires. Enfin, il y a eu l'envoi. Allez ! La messe est dite ! Franchement, c'était pas trop tôt. On a regardé l'heure : il était 16 heures. Plus que trente minutes avant la mise en terre à 70 kilomètres de là. Je me suis retournée pour voir comment se présentait la sortie. L'église était *sold out,* pleine à craquer et il y avait carrément un bouchon près de la porte d'entrée. Alors mon cœur s'est regonflé. Ainsi, mon père était aimable et je me suis demandé comment j'avais pu un seul instant en douter.

Le temps qu'on arrive à sortir, le corbillard était sur le départ. Une dame en chapeau et son mari, en pleurs, se sont avancés et m'ont dit qu'ils étaient très peinés, que mon père avait une âme raffinée et qu'ils se rappelleraient toujours combien il était fort en mots croisés. C'était un érudit, nous l'admirions beaucoup. Un monsieur au nez en patate s'est présenté à moi. Émile Frappesauce. On faisait des conneries quand on était petits avec ton père, dans la plaine, et puis on jouait au trappeur au bord de la Seine. C'était un sacré lascar, il me manquera. Merci monsieur, à moi aussi, il manquera. J'ai serré des mains, j'ai fait des sourires et dit merci à des tas de gens que je ne connaissais pas mais qui, eux, savaient parfaitement qui j'étais. Ma tante est montée dans le corbillard avec les zombies et le conducteur a fait vrombir le moteur. Il fallait vraiment y aller. J'ai couru vers madame T. pour l'embrasser, sans vous, madame T., il n'y serait pas arrivé, merci pour tout. J'ai reclaqué la bise à André et je suis montée dans la voiture de Félicie. Les copains étaient à l'arrière. Jean-François, qui m'avait à peine regardée depuis le début de l'après-midi, était déjà parti.

On a fumé comme des fous pendant tout le trajet. La ressemblance troublante entre la voix du curé et celle de Michel Serrault dans *Deux heures moins le quart avant Jésus-Christ* n'avait échappé à personne et David s'est mis à réciter des tirades entières de ce film qu'il connaissait par cœur. On en pleurait de rire. « Car la fâmme, la fâmme est un être parfait… » Puis Cecilia m'a offert les chocolats qu'elle avait apportés et montré le petit bouquet de pavots orange qu'elle comptait poser sur la tombe. On a avalé tous les chocolats en moins d'un quart d'heure et, à force de ricaner, David a failli s'étouffer avec un carré pistache. Au péage de Mantes-la-Jolie, le ciel a pris une jolie teinte orangée. Le soleil se couchait. Faudrait vraiment qu'on se dépêche, chérie, la nuit va tomber et on a déjà un quart d'heure de retard. Félicie a mis les gaz et cinq cents mètres plus loin, on s'est fait flasher. Ça valait au moins ça. Je me demande parfois à quoi pouvait ressembler le cliché instantané pris par le radar car nous ne l'avons jamais reçu. À l'enterrement d'une feuille morte, cinq escargots s'en vont. Ils ont la coquille noire, du crêpe autour des cornes, ils s'en vont dans le noir, un très beau soir d'automne.

Ça nous a pris encore vingt bonnes minutes pour arriver. Le corbillard, pourtant parti avant nous, n'était pas encore là et tout le monde attendait dans l'allée de cailloux devant le mur de brique du petit cimetière. L'if géant commençait à devenir mauve et le froid à tomber tandis que le ciel explosait dans des tons roses. J'ai mis mon écharpe et j'ai aperçu dans le virage, au loin, la berline noire qui arrivait vers nous à fond les ballons et même un peu trop rapidement compte tenu des distances. Un instant, j'ai même pensé que, comme dans les films, il allait falloir qu'on se jette sur le côté pour ne pas se faire renverser et j'imaginais encore un titre façon *Paris-Normandie* : « Gaillon. Le corbillard finit sa course folle dans la grille du cimetière », mais le conducteur a freiné en temps voulu dans un crissement de pneus et de gravier et tout le monde s'est écarté du mur l'air de rien. Les zombies ont ensuite ouvert la grille et débarqué la boîte au pas de course. Ma tante est descendue du break, hilare. « On s'est perdus dans un chemin de terre derrière Les Quaizes à cause du GPS, m'a-t-elle expliqué à voix basse, et au lieu de faire demi-tour, le chauffeur s'est entêté. Regarde l'état des roues. Pas une lumière, le type. Ils se sont engueulés mais c'était une belle petite promenade en forêt. Je suis sûre que ton père a beaucoup apprécié. »

Il avait beaucoup plu les dernières semaines et le terrain était tout détrempé. Ils ont installé le cercueil sur des tréteaux dans l'allée principale et nous ont placés devant, avec les fleurs. Vu l'état du sol, et l'argile momifiante qui le constituait, tout le monde avait bien compris qu'il valait mieux ne pas se risquer autour de la tombe ouverte où reposait déjà ma mère. Monsieur Lecreux père, croque-mort en chef sur place, a pris la parole sur un ton solennel. Mais en entendant sa voix, on a vite compris qu'il s'était payé une petite étape au bistrot. Cher Jean-Paul… Un des zombies lui a dit quelque chose à l'oreille. Il a repris : Cher Jean-Pierre. Nous voici réunis ici pour t'accompagner dans ta dernière demeure… Il y a eu un blanc dont on ne savait pas très bien s'il était voulu ou pas puis il a dit, comme on jette l'éponge : La parole est à la famille. C'était mon tour. Pendant que je m'avançais, deux zombies se sont dirigés vers la tombe et ont allumé des grosses lampes torches de cambrioleurs. J'ai commencé à lire le poème d'Apollinaire. « J'ai cueilli ce brin de bruyère, l'automne est morte souviens-t'en… » Mais dans ma gorge, les choses ont commencé à se compliquer. « Nous ne nous verrons plus sur terre… » La nuit gagnait. « Odeur du temps… » Il fallait finir mais ma bouche refusait d'obéir. « Odeur du temps…

brin de bruyère… » J'y étais presque mais je n'ai pas pu. C'est Cecilia qui a lu le dernier vers, avec son bouquet à la main. « Et souviens-toi que je t'attends. » Quand j'ai levé les yeux, la nuit était tout à fait là.

On aurait dû en rester là. Mais l'ami Lecreux père, sans qu'on lui demande rien, a sorti un papier tout froissé de la poche de son veston, a chaussé ses lunettes et a enchaîné, avec force reprises à la lumière de sa lampe de poche : Jean-Pierre, la mort t'a emporté pour ton dernier voyage. Notre peine est immense. Ton décès est une vraie douleur au cœur et à l'âme et ton départ est le début d'une nouvelle vie dans un autre monde, nous l'espérons… Un lieu fait euh… d'amour et de bonheur que certains nomment le paradis… Décidément, tout se répondait dans le vaste univers : c'était un ivrogne qui avait eu le dernier mot.

Pour l'après-cimetière, on avait prévu un petit buffet avec des cakes sympa, du vin d'Alsace et des mini saucisses cocktail, en mémoire de ses goûts. Dans les repas de famille, quand survenait l'apéritif, il chaussait ses grosses lunettes d'écaille et une fois le ravier à sa portée, attrapait deux ou trois de ces petits boudins qu'il croquait goulûment, en lançant entre deux bouchées de chair rose : C'est bon hein les petites saucisses ? C'est mieux qu'un coup de pied dans le ventre, nan ? puis attendait, presque frétillant, le deuxième passage. L'idée de manger à sa place les choses qu'il aimait me réconfortait. Je connaissais la saveur de ces aliments, le plaisir qu'il en tirait et j'imaginais que par quelque étrange principe de vases communicants entre morts et vivants, il pourrait reprendre, grâce à cette collation, des forces pour la suite de son voyage. Manger serait aussi une manière de tromper le vide qui prenait lentement place en moi et dont j'avais à peine commencé à prendre la mesure sur le chemin qui me ramenait à la maison.

J'avais voulu revenir du cimetière à pied, pour prendre l'air, m'adresser au mort sans témoins et donner à tout cela ma propre conclusion. J'avais laissé partir le cortège puis m'étais mise à marcher d'un bon pas. Mais dans le froid de la nuit, encore effarée par la manière dont l'histoire s'était terminée, je ne cessais de poser ma main sur ma bouche comme un bâillon pour empêcher mon âme de hurler au-dehors et les seules pensées dont j'étais capable tournaient autour de la même idée : j'étais désolée, j'aurais pu faire mieux, j'aurais pu faire plus. PARDON, JE SUIS DÉSOLÉE. Je prononçais cela entre mes doigts à haute voix et à plusieurs reprises sur cette boueuse portion de route éclairée de loin en loin par de méchants réverbères sans obtenir d'autre réponse que le vrombissement idiot d'une mobylette. Ensuite, par une sorte de réflexe du corps, je m'étais mise à courir pour me dégager des griffes de la bête, une fuite éperdue de quelques secondes, un sprint explosif, sans paliers de respiration, faisant jaillir clés, monnaie et cartes hors de mes poches. Et c'était bien, pendant ce bref instant de se débarrasser de tout. Du chagrin, de la culpabilité, du souvenir de sa voix au bout du fil me disant, à bout de souffle, quelques heures avant la fin : Vous venez bientôt, n'est-ce pas ? alors que Jean-François, qui devait passer me prendre, avait déjà une heure de retard et qu'il nous en faudrait une de plus pour gagner l'hôpital. Ce souvenir-là me torturait plus encore que tout le reste. Comment est-ce qu'on avait pu arriver en retard pour une histoire de porte à fermer, de volets à tirer, de lentilles à compter, de girafe à peigner alors que le compte à rebours avait déjà commencé? J'en étais malade. Et comment ça se faisait que j'avais pas passé mon permis à dix-huit ans, comme tout le monde le fait dans toutes les banlieues et toutes les provinces de France? Et si j'avais eu moins peur de tout, moins peur d'avancer, moins peur d'y aller, moins peur d'embrayer au propre comme au figuré, peut-être que j'aurais pu foncer seule sur l'autoroute, en direction du CHU de Poissy, dans ma petite Peugeot 206 blanche au lieu d'attendre bêtement qu'on vienne me chercher. Comment j'avais pu perdre autant de temps dans ma vie à attendre que la route se dégage alors qu'en réalité, elle était là, ouverte, accessible puisque je courais dessus de toute la vitesse dont j'étais capable. Bien sûr, il avait fallu que je m'arrête pour ramasser dans le noir tous les objets tombés dans la bouillasse.

Dans la maison pleine et chaude, mon retour est passé complètement inaperçu. C'était même un peu surprenant. Pas de tambours, ni de trompettes, ni de bras ouverts. Un ou deux sourires peut-être mais rien de beaucoup plus chaleureux. Personne pour m'attendre ou m'embrasser, aucune clavicule contre laquelle me blottir, aucune écharpe douce où enfouir mon visage et personne pour me dire en me prenant le visage dans ses mains : Ça va s'arranger tout doucement ma doucine, tu verras. Bien sûr, durant mes allers-retours à la machine à café du service de gastro-entérologie, je m'étais préparée à l'idée d'être catapultée rapido dans le monde des vrais adultes, ceux qui savent quoi faire, prennent le vent de face et évitent de se vautrer dans des choses trop sentimentales. Mais juste au retour du cimetière, ça faisait court.

Dans la cuisine, ma tante rangeait des saladiers et comptait des verres. Quelqu'un, près de l'évier, essuyait une assiette et, posée sur un tabouret beaucoup trop bas pour elle, la vieille cousine se massait les genoux en disant du mal de tout, du curé, du fleuriste et de l'homélie trop longue. Plus loin, dans le salon, ni voix étranglées par l'émotion, ni Kleenex ni moucheries intempestives ni même son prénom pris dans une vieille histoire amusante. Et pourtant, Dieu sait qu'on n'en manquait pas, d'anecdotes... En réalité, amis et connaissances formaient de petits groupes soudés par des discussions étrangement enflammées sur des sujets qui n'avaient rien à voir avec la situation : ici, des problèmes d'essieu, là, le compte rendu d'une semaine en Lozère, plus loin, des compliments à propos du film *Camille redouble* et au fond de la pièce, la fin d'un rire bruyant façon otarie. En slalomant pour atteindre le portemanteau, ça m'avait semblé grossier, toute cette vie, cet enthousiasme ridicule, cette terrible façon de ne pas s'attarder et de faire table rase, y compris du côté du buffet où ne restaient que quatre pauvres petites saucisses éclatées et gorgées d'eau, une demi-baguette rompue de travers, un morceau de brie ramolli et des entames de cake. Et ouais meuf, ni fleurs ni couronnes ni câlins ni cake : fini de rigoler. En plus, ça commençait déjà à débarrasser, alors je me suis versé *in extremis* un fond de gewurtz dans un verre abandonné et j'ai essayé de m'incruster dans le groupe « film » avec un sourire brave.

La proximité soudaine de mon être souffrant a provoqué un genre de petit mouvement de recul et une pause bizarre dans le fil de la conversation qui a repris quelques secondes plus tard. Franchement, j'ai adoré le moment où. Ouais, moi aussi, c'était très émouvant. Et la scène dans laquelle, c'était vraiment super. Et toi Annette, tu l'as vu ? J'ai porté le verre à ma bouche le temps de trouver quelque chose d'intéressant à dire mais rien de très étoffé n'est venu. Oui, j'ai bien aimé. Surtout quand elle enregistre ses parents qui chantent *La Petite Cantate* de Barbara pour avoir une trace de leur voix dans le futur. Il y a eu une nouvelle pause. On m'a regardée avec gentillesse, donné de la tête penchée, du soupir, transmis des pensées par télépathie, puis le bâton de parole est passé à quelqu'un d'autre.

Alors soudain, je me suis sentie fatiguée, lasse à me coucher par terre, minuscule, étrangère et seule, comme souvent dans cette famille qui avait toujours des drames plus urgents à régler que de savoir comment j'allais. Du coup, je me suis dirigée vers le canapé situé près du groupe « fumeurs près de la cheminée » essentiellement constitué de mes propres amis et j'ai essayé d'y disparaître en me couvrant le haut du corps d'un large coussin beige à motifs cachemire. Perdue dans la fumée et bercée par le murmure des conversations, j'ai ressassé un moment avec la sensation d'être une invitée dans ma propre maison.

David, qui avait dû voir ma tête, m'a rejointe sur le sofa. Ça va chérie? Si t'essaie de te fondre dans le décor, franchement, c'est raté : ton camouflage est nul et ce beige est horrible. J'ai souri. Bon, t'as un crayon et un papier? Je voudrais te montrer un truc que j'ai appris à mon cours de chinois. J'ai fouillé mollement dans les tiroirs de la table basse devant nous pour en extraire un crayon de couleur violet tout mâché et une vieille enveloppe décachetée. Il a commencé par dessiner ce qui ressemblait à un peigne à trois griffes, puis en desssous, une agrafe au bout gauche distendu, puis encore en dessous, deux tirets verticaux soulignés d'un sourire pris dans une parenthèse puis, finalement, le chiffre 17, tordu comme si on l'avait cogné. Tu vois, cet idéogramme, ça veut dire l'amour. Ok, j'ai dit, soulagée d'avoir à me concentrer sur autre chose que la maladie, la mort et leur sinistre cohorte de significations. Regarde, le râteau, à trois dents là, en fait c'est une main, ok? Ok. Le truc allongé en dessous, c'est un toit, le visage en dessous, c'est le symbole du cœur, et le 17 de travers, ça signifie la personne que l'on respecte ou l'ami, ok? Ok. Je comprenais pas grand-chose mais je hochais la tête. Donc, si on reprend, globalement, l'amour, c'est de protéger avec ta main le cœur d'une personne que tu respectes, ok? Ok, j'ai encore répondu alors que le joli message qu'il m'adressait l'air de rien se frayait peu à peu un chemin jusqu'à mon cerveau. Et tu sais le moyen mnémotechnique que les professeurs donnent pour se souvenir de la manière dont il faut composer ce caractère ? Eh ben, c'est simple. Plus loin sur la feuille, il a redessiné le peigne à trois griffes. Ça c'est la pluie qui tombe du ciel, juste au-dessous, le toit, c'est un parapluie, et encore dessous, c'est le cœur de ton ami. Alors, l'amitié, tu vois, c'est ça. C'est protéger le cœur de ton ami de la pluie et des intempéries. C'est vraiment super joli comme idéogramme, ai-je réussi à articuler avec une toute petite voix alors que deux grosses larmes me coulaient déjà sur le menton. Alors David m'a prise par les épaules, m'a secouée un peu, comme pour faire sortir le reste du chagrin de ma carcasse en mikado et a déposé un gros bisou sur mon front. Tu vas y arriver mon chou, c'est dur, mais tu vas y arriver.

La fête d'adieu a lentement décliné, les reliefs du buffet ont été emballés dans du cellophane, les verres rangés et quelqu'un a passé un petit aspirateur électrique sur la nappe couleur d'automne. De timides « Bon, on va y aller » ont commencé à sourdre, contaminant immédiatement l'ensemble du groupe. Les Parisiens se sont dirigés vers leurs voitures. Pour certains, il était question d'aller rejoindre une manif devant l'Assemblée mais il était déjà six heures, le trajet serait long, il faisait froid, sombre et il y aurait, nous le savions, bien d'autres occasions de scander, pancartes à la main, des slogans à l'adresse des députés homophobes. Le projet s'est dissous presque aussitôt, chacun ayant surtout envie de rentrer chez lui et de se coucher au chaud dans un gros pyjama devant le film du soir, loin des injustices du monde et des cimetières de province. J'ai donc tendu des manteaux et des écharpes, tenu des épaules, remercié, embrassé des joues parfumées et d'autres qui piquaient, j'ai souri autant que j'ai pu en évitant de trébucher intérieurement sur des germes de récit concernant le « départ des êtres aimés », croisé les bras en attendant que les phares s'allument et que les véhicules démarrent, agité la main en réponse à celles qui sortaient furtivement des fenêtres entrouvertes sur la nuit. On s'en va, bon courage hein, pour tout. Appelle si tu as besoin de quoi que ce soit, n'hésite pas. Merci, ok, soyez prudents sur la route, bisous. Leur gentillesse sincère me touchait au cœur mais en tournant les talons, je pensais à tout ce dont j'allais vraiment avoir besoin.

Bonsoir, je t'appelle, comme tu me l'as proposé, parce que j'ai besoin que tu me fasses rire pour oublier ce trou dans lequel je tombe en spirale. Salut, je te dérange pas ? Je t'appelle parce que j'ai besoin que tu ailles travailler à ma place un petit mois, le temps que je me remette, oui, c'est à Issy-les-Moulineaux, du *nine to five* sans congés ni RTT payé en droits d'auteur, tu verras, la patronne est pas toujours bien lunée mais c'est une fille intelligente. Bonsoir, je ne sais pas comment dire à mon frère qu'il doit nous laisser un peu de place pour être triste au lieu de remplir tout l'espace avec son grand corps inflammable et son inextinguible frustration, tu voudrais pas lui téléphoner ? Bonsoir, j'aimerais qu'avec une de ces phrases bien senties dont tu as le secret, tu m'absolves de la culpabilité qui continue de m'assaillir. Bonsoir, je t'appelle, il est un peu tard, je sais, mais j'ai réfléchi à ce que tu as proposé l'autre fois et j'aimerais que tu m'emmènes loin d'ici, par exemple sur les hauteurs d'une ville. On regarderait les lumières en fumant, on aurait un peu froid mais on aurait des pulls et des polaires trop grands qui sentiraient le feu et la lessive, et après, on dormirait quelque part, dans un deux-étoiles tout simple. Tu veillerais sur moi pendant mon sommeil en me caressant les cheveux et puis au matin, on roulerait au hasard dans des paysages jusqu'à ce que ma peine s'épuise et que j'aie repris goût aux choses. Ça te semble faisable? Disons demain ou alors même tout de suite, t'es dispo tout de suite? Ah, tu peux pas, t'as yoga? Ah bah, non pas de problème, je comprends, on se rappelle plus tard. Bonsoir, je t'appelle, parce que j'ai besoin de savoir quoi faire avec ma vie et quelles directions adopter dorénavant pour être digne de ce qu'on m'a laissé sans me perdre sur un chemin qui n'est pas le mien par loyauté envers un passé qui, finalement, m'encombre? T'as pas une idée? Non? Bon, ben tant pis, je vais me débrouiller.

Quelques semaines plus tard, juste le temps d'émerger un peu de ma stupeur, j'étais finalement de retour dans le château de briques et de bois pour continuer d'y trier le reste des factures, relevés de comptes, lettres, livres, habits, bibelots, bols, tasses, fournitures, meubles et objets personnels dont je ne savais que faire à part les regarder et éventuellement les toucher avant de les remettre exactement à leur place. On m'avait dit, en brandissant comme une menace un rouleau de sacs-poubelle, quand quelqu'un meurt, il faut agir, trier, ranger, répartir, écrémer, choisir ce que tu veux garder et te débarrasser du reste. Et plus vite que ça. C'est comme ça qu'on fait, c'est ça qu'il faut faire, tu devrais faire ça, ça t'aidera c'est sûr. Mais je ne voyais pas comment m'y prendre et encore moins par où commencer. Plus qu'affreuse, l'idée me semblait surtout incongrue, hors sujet, lointaine. Aussi lointaine que ces voisines en doudoune noire qu'on salue vaguement les soirs d'hiver, dans les halls d'immeuble, devant les boîtes aux lettres et qu'on oublie à peine les portes de l'ascenseur refermées. Comment seulement imaginer disperser quoi que ce soit alors que j'en étais juste à recoller les morceaux ? Comment vraiment savoir ce qui avait compté et ce qui faisait sens sans relire chaque courrier, sans ouvrir chaque placard, sans toucher chaque tissu ? Comment renoncer à traquer, dans chaque recoin, pour n'en rater aucun, les fils encore incandescents de son passage ici ? Et puis pour m'en débarrasser, encore aurait-il fallu que ces choses m'encombrent, or il n'en était rien : je ne voyais pas quel soulagement psychique il pourrait bien y avoir, juste après l'avoir perdu lui, à me séparer de tout ce qui avait constitué le décor de sa vie, de la mienne, de la nôtre et à ajouter du désordre à la désolation. Pour l'heure, j'avais réussi à venir à bout des choses urgentes comme envoyer des actes de décès pour clôturer administrativement son existence et ça me semblait déjà énorme. Je n'avais en outre, pour le moment, ni huissier sur le dos, ni date butoir ni aucun agenda sauf celui que préconisaient les livres de développement personnel et que relayaient, terrifiés par les entre-deux, les gens qui m'entouraient, patients, à l'écoute, compréhensifs, ma pauvre chérie, mais quand même pressés de me voir *tourner la page*. Moi, je préférais ne pas.

Le premier jour, j'ai donc résisté, façon Bartleby, à cette injonction d'inventaire définitif en contemplant, immobile, cigarette à la main, les choses dans leur ensemble depuis le seuil des pièces, hésitant à leur imposer un mouvement qui dissoudrait peu à peu et pour toujours ce qu'il y avait eu avant. Cette perspective m'angoissait tellement que j'ai même pris des photos de chaque étagère pour être capable de recomposer, en cas de vérification intempestive des inspecteurs de la mémoire, le tableau dans son ordre exact et au centimètre près. J'ai aussi passé deux bonnes heures à enregistrer les bruits de la maison avec le dictaphone de mon portable craignant de ne plus jamais les entendre si quelque chose venait à changer : silence assourdissant, tuyaux régurgitant, bruit particulier de l'eau s'écoulant dans tel ou tel évier, vrombissement de thermostats, craquements de parquets et d'escalier, grelots accrochés pratiquement à tous les trousseaux de clés, carillons japonais tintant dans le vent de manière poétique ou irritante, tours de clés et couinements de portes, cliquetis d'interrupteurs, fenêtres aux caoutchoucs rebelles et touche play de l'antique répondeur sur la bande duquel on entendait encore la voix mélodieuse de ma mère dire, un peu intimidée de s'adresser à une machine : Laissez-nous votre message ou votre numéro.

Personne n'avait effacé ce message depuis qu'elle était partie et on avait dû trouver qu'ils étaient cinglés, chez Pauly, de laisser un fantôme prendre les messages. Mais nous, ça nous plaisait de pouvoir continuer à l'entendre de temps à autre et il m'était même arrivé de téléphoner en sachant qu'il n'y aurait personne pour décrocher et qu'elle s'adresserait donc directement à moi. Sa voix, où résonnait toute la gentillesse du monde, nous était nécessaire. Dans les moments de nos vies où, par facilité, nous laissions le désespoir nous gagner, elle nous ramenait à nous-même, nous exhortait à nous redresser et à faire de notre mieux. Ça ne marchait pas toujours, et des fois, on était quand même minables et lâches, déprimés et mesquins. Mais parfois, le charme opérait et on se retrouvait à accompagner une dame inconnue encombrée de paquets jusqu'à l'Orlyval pour qu'elle arrive à temps pour son avion. Et puis, sans nous le dire, nous nous plaisions à imaginer que ce message d'elle, sur cet appareil, constituait un point de rencontre possible entre morts et vivants. Un mince îlot via lequel, par quelque effet magique de collision entre dimensions, nous aurions pu lui parler et elle aurait pu nous entendre. *Tuut.* Complications ici-bas, attendons instructions. Terminé. *Tuut.* Ne vous inquiétez pas, la mort n'est qu'un passage. Je vous aime, je vous attends, vous y arriverez. Terminé. *Tuut.* Découragement, fatigue, chagrin. Est-il passé? Que faut-il faire? Merci de faire signe. Terminé. *Tuut.* Il est bien arrivé. Il va bien. Pour vous aussi tout ira bien. Se faire confiance, rester gentil. Terminé. *Tuut.*

Évidemment, à part quelques soupirs troublants, probablement attribuables à des démarcheurs dépités, aucun échange de ce type n'avait jamais eu lieu jusque-là, mais le vortex était resté ouvert et voilà que j'allais devoir le fermer pour toujours parce qu'on ne garde pas, comme ça, pour le fun, un vieux répondeur obsolète qui prend la poussière et qui ne sert objectivement à rien dans une maison où plus personne ne vit. Pour le conserver, il allait falloir d'abord persuader des proches, globalement peu sensibles aux dispositifs de commémoration, qu'il était une pièce importante de l'histoire, puis le placer dans un carton qui se retrouverait sous un lit dans une chambre déjà encombrée, ou bien parmi d'autres cartons dans un garde-meuble surveillé, dans une banlieue qu'on connaîtrait moins, dans une zone industrielle seulement accessible le dimanche après-midi, via une départementale bordée de panneaux publicitaires et de ronds-points d'une laideur inimaginable, ce qui n'inviterait ni au recueillement ni à la poésie du souvenir. Et au bout du compte, ce serait tellement triste et pénible qu'on finirait par ne plus y aller du tout, dans ce garde-meuble sinistre, et qu'on se demanderait même, a posteriori, ce qu'il pouvait y avoir de si précieux dans ces cartons pour qu'on les garde, et que peu à peu, les choses ayant disparu du paysage, elles disparaîtraient aussi de nos mémoires et leur histoire avec. Voilà comment s'orchestraient les oublis et les abandons et ça me donnait envie de pleurer.

J'ai enfilé mon manteau et je suis descendue regarder au rez-de-chaussée, inhabité depuis des années et où chacun avait déposé, en strates et en cartons, sans jamais y revenir, ce qui l'encombrait : restes d'histoires d'amour décevantes, paquets de lettres illustrées et sentimentales ou simplement informatives, boîtes à chaussures garnies de cartes postales aux tournures et provenances désuètes envoyées par des amis et des inconnus, plutôt joyeuses au début de leur vie ensemble et de l'enfance de Jean-François (Souvenir de notre agréable séjour à Machin-les-Bains, Saint-Dié, Guebwiller, les citadelles du Vertige, Rodez, Aurillac, Béthune, Le Tréport. Au programme, promenades pique-niques et repos bien mérité, nous et nos enfants allons bien, espérons que vous aussi, grosses bises), puis carrément tristes et flippantes au moment de ma propre enfance (Prions pour vous à la grotte de Truc-sur-Loing devant la statue de sainte Rita et vous envoyons nos meilleures pensées, en espérant que les beaux jours apportent un peu de répit dans le cauchemar qui est le vôtre, pensées), boîtes de gâteaux en métal remplies de rien, de barrettes, de chouchous, d'étuis divers, de cirage, de rasoirs anciens, de bouchons orphelins et de cartes de fidélité Darty et Yves Rocher; cahiers de poésie, dossiers scolaires et médicaux, radios de pieds, de jambes, de mains, de mâchoires, de poumons, électrocardiogrammes et analyses diverses, relevés de comptes fermés depuis longtemps; poupée noire dont le chien avait mâché la main et tourne-disque Fisher-Price, flûtes à bec de différentes tailles, partitions mangées par les souris; serpes, houes, binettes, faucilles, marteaux et outils ruraux divers; fusils à aiguiser et couteaux impressionnants; casseroles en cuivre dévorées de vert-de-gris, opalines ébréchées, surplus humides de disques, classeurs, livres, lampes et meubles, chaises et tables; matelas mités et effets personnels des grands-parents dont leur armoire ouvragée, leur portrait de mariage et la déposition aux flics d'un collègue du grand-père racontant comment il lui avait écrasé le crâne par accident; innombrables photos mal cadrées de nous ou d'ancêtres inconnus dans des albums chic à fermoir dorés, dans des enveloppes élimées et crasseuses ou dans une petite valise de cuir rabougri; cageots entiers de livres à reliures rouges gagnés à l'école entre 1910 et 1918 par une arrière-grand-tante méritante, carnet de chant illustré au crayon par un aïeul revenu sain et sauf de la guerre ; intégrale des *Misérables* dans une petite édition verte et dorée, santiags jamais portées taille 47, salopette en jean toute neuve taille 52, carabines en mauvais état, panoplie de plaques de feu, chenets et tisons pour le cas où nous aurions eu, un jour, château, cheminée et équipage de chiens de chasse dormant à nos pieds ; collection de moulins à café anciens et de crucifix précieux, de style « piqués dans une église », dont je ne pouvais déterminer l'origine sauf à imaginer un de ces trafics absurdes dont il avait le secret et qu'il avait dû conclure avec ses derniers camarades de bar, puis enfin crâne humain de taille moyenne servi avec un tibia cassé en deux dans un petit sac d'écolier vert et mauve (vestiges du chantier de démolition de l'orphelinat pour aveugles situé en face de la maison ? Hasard des jeux en bord de fleuve en temps de guerre ? À ce jour, le mystère reste entier). Là encore, j'ai ouvert, soulevé, refermé, pris des photos comme on mène une enquête, emporté quelques preuves – quatre ou cinq clichés de lui enfant et jeune homme, un électro-cardiogramme qui avait décrit à un instant t les mouvements de son cœur, une clé et un grelot.

Je suis ressortie de là avec de bonnes grosses douleurs dans le dos et une sensation d'accablement terrible. Ensuite, je suis remontée, j'ai transféré les photos dans mon ordinateur, puis je suis allée m'asseoir en haut des escaliers pour regarder, en fumant, le jour disparaître entre les branches presque nues du grand hêtre et la cour sombrer dans l'obscurité. Voilà, vraiment, j'étais bien avancée : désormais, je savais à quoi ressemblait l'océan qu'il me faudrait vider à la pipette et les choix absurdes que cette opération impliquerait : déterminer dans ce foutoir ce qui avait signifié quelque chose pour lui, pour eux, ce qui signifiait quelque chose pour moi et peut-être pour Jean-François, le garder pour n'en rien faire d'autre que de le garder, et puis se séparer bêtement de choses utiles qui parfois avaient représenté pour eux des mois d'économies. C'était bien la peine de s'être *usé le tempérament* pour un sèche-linge et une table digne de ce nom alors que si ça se trouvait, faute de place dans nos propres vies, on allait être obligée de les fourguer au premier Emmaüs venu. Je soufflais.

Le voisin qui rentrait sa voiture m'a vue sur mon perchoir et m'a saluée de loin. J'ai agité la main en retour. Deux merles, dérangés par ma présence à l'heure de regagner leur nid dans le lierre voisin, sont passés plusieurs fois en vol rasant à quelques centimètres de ma tête pour me faire déguerpir, alors j'ai fini par rentrer. J'ai poussé les chauffages à burne, mis mon pyjama, enfilé par-dessus le gros gilet de laine bleu où s'attardait encore son odeur, mâchonné des nouilles au beurre trop cuites devant *New York Unité Spéciale,* fait passer le tout avec un grand verre d'un apéritif amer trouvé au fond d'un placard. Ensuite, j'ai lancé un « Bonsoir » dans le vide sans savoir exactement qui m'entendrait puis je me suis endormie d'un coup dans le grand canapé en face de son lit vide. Dans la nuit, j'ai rêvé de lui comme on rêve des morts : il était allongé dans mon lit, à Paris, la couette remontée jusqu'au menton et il me regardait en silence avec des grands yeux de hibou étonné. C'était bizarre de le trouver là. Dans le rêve, j'étais embêtée de n'avoir pas mieux à lui offrir que ce petit lit et je m'excusais : ça manquait de confort, la chambre n'était pas très grande et c'est vrai que ma vie n'était guère plus large que ce lit mais, pour l'heure, je n'avais pas réussi à faire mieux. Puis, croyant déceler dans ses yeux un peu de déception, je lui disais encore que j'étais désolée qu'il ait eu à partir de cette façon mais que je n'avais rien pu faire. Comme il continuait à me fixer sans rien dire, j'arrangeais la couette autour de lui pour qu'il n'ait pas froid et je sortais pour aller lui chercher quelque chose à boire. Le rêve m'a emmenée dans une gare, voie 16, où j'ai vu à regret s'éloigner un train que je venais de manquer, puis dans une succession compliquée d'escaliers en fer censés me mener au robinet le plus proche, puis dans une discussion tendue avec des inconnus hilares qui refusaient de me vendre la seule bouteille d'eau disponible du département. À mon retour dans la chambre, il n'était plus là.

Le lendemain, je me suis levée tôt avec un courage de carnaval : j'étais décidée à tutoyer les sommets de l'efficace. On allait voir ce qu'on allait voir, ça allait être la win du rangement, le festival international du tri, le championnat de la poubelle. J'ai allumé la radio, sauté dans la douche, bu un café trop fort à la table de la cuisine dans la lumière du matin en écoutant pérorer un vieil éditocrate sentencieux sur les conséquences objectivement terribles du mariage pour tous, et je me suis attaquée, parce qu'il fallait bien commencer par quelque chose, aux gros tiroirs du living, cet horrible meuble rustique en plaqué verni, avec vitrine et bar intégrés, qui en son temps avait réjoui ma mère parce qu'elle avait enfin pu ranger quelque chose dans cette satanée baraque qui était si humide qu'en hiver la moquette du salon gondolait. Je détestais ce meuble qui prenait toute la place, dans les portes duquel on se cognait et qu'on m'obligeait à dépoussiérer le samedi matin pour que je sache faire.

Le premier tiroir était, avec le temps, devenu un genre de grosse boîte à outils où dénicher de quoi se débrouiller en cas d'urgence domestique. Je savais à peu près ce que j'y trouverais mais je l'ai ouvert quand même, pour voir ce qu'il serait possible de jeter. J'en ai d'abord extrait une boîte verte en plastique où se trouvaient scie à métaux, pinces coupantes, lime plate, lime carrée, maillet, marteaux petits et grands, tournevis plats, cruciformes et de précision, chignoles de toutes tailles, fil de fer, fil électrique, mastic en pot, toile émeri et mètre pliable. Bien, bien, bien, ai-je pensé.

Ensuite, j'ai extrait du tiroir une deuxième boîte remplie de bocaux contenant vis à bois, vis à béton, chevilles longues rouges, chevilles courtes, crochets, crochets moyens à visser, gros crochets à visser, clous larges, clous longs, clous à tête plate, clous larges et longs à tête plate, clous fins et longs, clous à tête d'homme, clous X, clous vitriers, clous tapissiers, petits clous et clous microscopiques. Super, comme ça, si j'en ai besoin…

Une troisième est venue qui contenait cordons électriques orphelins, multiprises, ampoules neuves dans leur emballage de 40 et 60 watts, douilles à vis, douilles à baïonnette, interrupteurs et dominos. Toutes ces choses parfaitement rangées par thèmes et parfaitement utiles dans un tiroir parfaitement adapté, ça commençait à me faire transpirer. Elles vivaient là, ensemble et paisiblement, depuis des années, dans un environnement qui leur convenait. Pourquoi aurais-je dû les obliger à déménager et pour aller où ? Dans mon appartement de trente mètres carrés en forme de triangle où les seules choses à bricoler se résumaient à une plaque électrique et quelques appareils hi-fi ? Dans un autre meuble mais lequel ? Et puis pour quoi faire ? Une fois toutes ces choses étalées devant moi, je me suis mise à me frotter le front en pensant à la réalité que décrivait cet arsenal. *Les bons outils font les bons artisans,* se plaisait-il à nous répéter alors qu'il avait laissé mon frère poser les sols, la moquette, les plafonds, le carrelage, remplacer les tuiles cassées, entretenir la plomberie, s'occuper du renouvellement des peintures et papiers peints et dépanner la énième bagnole d'occase qui ne démarrait plus, se contentant, lui, des travaux de précision. C'est qu'il était sous anticoagulants et avait peur de se vider comme un lapin à la moindre plaie mais on ne pouvait pas vraiment lui en vouloir d'avoir peur de vivre parce que c'était vrai que, à tout instant, il pouvait en mourir. Un peu comme nous tous en fait. Jean-François aurait pu mourir lui aussi, en tombant du toit d'où il réparait les gouttières, ou en s'électrocutant sur le tableau électrique qu'il était en train de composer, ou tout simplement ruiner sa jeunesse à décaper des murs au lieu d'aller au cinéma, mais ça, ça l'inquiétait moins et puis, de toute manière, il fallait bien que quelqu'un fasse les choses. Pourtant, les rares fois où il avait bricolé et que j'étais là, il m'avait appris à scier et clouer droit, à changer une vitre, un interrupteur ou une prise, à poser de la frisette, à calculer les surfaces, à les préparer et surtout, très important, à bien délayer la peinture pour qu'en deux couches, les choses soient nettes et finalement, c'était bien utile de savoir tout ça.

Bien cachées au fond du tiroir, restaient deux boîtes à gâteaux rondes en métal, de celles que nous achetions chez Lidl pour avoir quelque chose de bon à offrir à des invités de passage qui ne passaient finalement dans notre triste banlieue qu'en coup de vent, le ventre déjà plein et qui refusaient systématiquement les gâteaux en se pinçant le nez, au grand dam de ma mère qui, parfois, en pleurait de dépit. Du coup, on les mangeait nous-mêmes pour la consoler de cette humiliation et une fois les sablés finis, la boîte servait à ranger les petites choses *de manière rationnelle*. Peu à peu, ces boîtes avaient envahi les espaces creux de la maison avec leurs décors naïfs et on finissait par ne plus trop savoir ce qu'il y avait dedans. Je les ai tirées vers moi avec un certain effort parce qu'elles étaient bizarrement lourdes.

À l'intérieur se trouvait un nombre considérable de piles, tantôt ordinaires, tantôt rechargeables, attachées deux par deux par des élastiques dont dépassaient des Post-it manuscrits. J'en ai déplié quelques-uns avant de comprendre qu'il s'agissait, pour chaque couple, de la date de leur début de vie et de la date de leur mort.

Tous étaient datés de l'année qui venait de s'écouler. Au revers d'un des couvercles, sur une feuille pliée en quatre, un tableau soigneusement tracé à la règle et au crayon à papier résumait les données. C'était une petite étude comparative, tout ce qu'il y a de plus sérieux, avec des dates, des prix, des couleurs de Stabilo plus vives pour les marques les plus performantes et, dans la case « remarques », au bout de chaque ligne, les différences entre la capacité déclarée sur l'emballage et la durée de vie réelle des batteries.

J'ai été prise de vertige : voilà donc à quoi mon père, qui venait de mourir et à qui je parlais à haute voix sans même m'en apercevoir, avait entre autres occupé son esprit les derniers mois de sa vie. Certes, c'était plus élaboré que d'apprendre le Bottin ou de compter les voitures mais ça puait quand même un peu la réclusion et le désespoir. Quoique, au fond, je comprenais très bien pourquoi il avait fait ça. D'abord, j'imaginais qu'il devait vraiment être agacé d'avoir sans cesse à renouveler ces petits machins cylindriques hors de prix qui devaient le lâcher aux moments les moins opportuns, par exemple quand il était seul avec ses angoisses, à 22 h 30 devant une télé refusant d'obéir aux ordres faiblards d'une télécommande déchargée. Ensuite, cet ultime effort de discipline comptable avait une utilité : il était complémentaire des mots croisés et autres opérations mentales censées garder les synapses souples et les idées claires. Ça avait toujours été important pour lui, comme ça l'était pour moi, d'entretenir cette agilité qui faisait le sel de nos échanges et qui lui donnait toujours quelques minutes d'avance sur les autres. Mais surtout, en relisant les données, j'étais certaine que la dimension métaphorique de son geste ne lui avait pas échappé et que j'avais peut-être sous les yeux la forme qu'il avait trouvée pour exprimer le fait que désormais, le temps lui était compté et que tous les paris étaient bons à prendre. Alors, devant ce tableau fou et ces cercueils de piles épitaphés qui ressemblaient un peu à l'œuvre d'un dément, j'ai cru mourir d'amour et de mélancolie. Une dernière fois, je l'ai admiré pour son esprit original et si mal compris, pour l'élégante précision de ses idées, pour son entêtement insensé à ne s'être jamais autorisé que ça alors qu'il avait tant d'ampleur et pour m'avoir appris à être sensible à la poésie que dégagent les choses modestes. Finalement, j'ai tout remis en place, coincé le sac-poubelle à peine déplié entre deux boîtes, refermé le tiroir et je suis sortie pour changer d'air.

Il faisait froid mais beau. Un joli ciel bleu franc avec quelques nuages et un soleil d'hiver. Je me suis accoudée un instant à la passerelle de bois reliant la maison à l'escalier, là où il aimait se tenir pour fumer et observer les mouvements de la lumière dans le feuillage et les allées et venues des petits oiseaux. Là où nous avions eu parfois, en tirant comme des malades sur des clopes jamais assez fortes, les conversations les plus profondes et les plus banales et où les silences qu'elles avaient parfois engendrés s'étaient naturellement transformés en séances de contemplation intense de la nature en contrebas. À cet instant précis, j'aurais donné n'importe quoi pour un dernier moment comme ça avec lui, à ne rien se dire de spécial en regardant dans le vide. La cour avait été laissée à l'abandon depuis des mois et en ce début d'hiver, elle avait des airs de fin du monde. L'été d'avant, la pluie, abondante, avait fait croître des mauvaises herbes de manière erratique dans les creux et les bosses de la terrasse en ciment et personne n'avait eu le courage de les arracher. Le lierre avait envahi les graviers à de nombreux endroits et au-dessus du porche, il commençait même à dévorer la fenêtre des chambres. Les tilleuls avaient poussé démesurément et quelques feuilles jaunies s'accrochaient encore à leurs tiges rouges lancées vers le ciel. Quant au hêtre, pas élagué depuis des années, il avait quasiment doublé de volume et transformé la cour en sous-bois. C'était sa manie ça, de rien vouloir couper. Quiconque s'approchait d'un végétal avec une scie ou un sécateur avait invariablement droit à un « oh là là, malheureux ! », se voyait gratifié d'un couplet sur nos frères les arbres qui mettent tant d'énergie à pousser, puis finissait par reculer, presque convaincu après ce laïus que couper une branche revenait à sectionner un membre humain. Et voilà comment, ces dernières années, le soleil avait peu à peu déserté l'endroit et les espèces de l'ombre prospéré, s'enchevêtrant lourdement les unes avec les autres. Seul le petit érable déplumé aux feuilles couleur de feu relevait un peu le niveau dans ce fatras de rien qui avait eu, autrefois, des allures de jardin japonais. Pour couronner le tout, une quantité insensée de feuilles rousses recouvrait toute chose et plutôt que de laisser le découragement s'installer de nouveau dans mon cœur rincé, j'ai entrepris de les ramasser. Je me suis jetée sur le râteau et me suis mise à faire des tas. Des gros tas de feuilles en me donnant à fond, secouant chaque buisson, passant derrière chaque pot et sur chaque plate-bande. Mais j'avais beau ratisser, regrouper, il en sortait toujours de nouvelles, que je rabattais rageusement dans un sens, puis dans l'autre, assemblant entre eux petits et gros monticules, réparant aussitôt les dispersions provoquées par le vent qui s'y engouffrait comme pour me narguer, jetant manteau et pull à terre, crevant de chaud et de chagrin, appuyant sur le manche comme une forcenée. Fait chier l'arbre, fait chier la mort.

Quand j'ai senti que j'y étais presque, je me suis arrêtée pour faire un point. J'avais sur le pouce une cloque sanguinolente et de la sueur qui me coulait partout sur la figure mais je savais que ça lui aurait plu : huit tas de feuilles à peu près équivalents, harmonieusement répartis sur l'ensemble de la surface, un chaos maîtrisé, une compo zen réalisée avec la piété d'un moine bouddhiste. Satisfaite, un peu regonflée, je me suis assise un moment sur une des grosses pierres de l'entrée pour fumer. La plupart étaient recouvertes d'une mousse verte et brune à deux étages spécialement choisie par lui dans une forêt voisine pour coloniser la nôtre. Enfant, j'avais assisté à la transplantation et j'aimais, depuis, ces vaillantes petites armées vertes avec leurs lances minuscules qui se déployaient vers d'improbables batailles. Allons-y, la victoire est devant, semblaient-elles toujours s'exclamer. Je les ai caressées un moment en leur enviant leur courage. J'aurais aimé me fondre dans leurs rangs et marcher moi aussi vers des lendemains radieux mais on n'y était pas encore. Il allait falloir avaler. C'est ce moment de déglutition psychique qu'un facteur énervé a justement choisi pour balancer une grosse liasse de courrier dans la boîte aux lettres avec un bruit de tous les diables. Je suis allée voir. Des pubs, des pubs, des pubs, des chocolats extra, de la dinde en promo, un Noël super-chouette, encore mieux que les précédents, le mini calendrier pratique d'un élagueur et puis une lettre à mon nom. Dessus, une écriture soignée que je ne connaissais pas, tracée au stylo-plume bleu avec la mention : « Faire suivre si besoin. » Juliette. J'ai su que c'était elle avant même de regarder le nom de l'expéditeur. J'ai décacheté le pli délicatement et suis retournée sur ma pierre pour le lire. Trois feuilles blanches, l'une manuscrite, d'introduction, les deux autres dactylographiées.

Novembre 2012

J'ai été très touchée par votre démarche qui m'a permis d'accompagner votre papa ce mercredi 7 novembre malgré les regrets de n'avoir pu répondre à ses derniers appels.

En revisitant le passé, j'ai eu envie de lui écrire les quelques lignes ci-jointes. C'est vous qui les lirez, et peut-être les entendra-t-il. Il reste d'une personne aimée et disparue une matière subtile, immatérielle : une absence que l'on peut ressentir comme une présence dont plus rien désormais ne peut ternir l'éclat. Mais cela n'enlève rien au chagrin qu'il faut affronter pour continuer sa propre route. Il n'y a pas d'âge pour se sentir orphelin.

On n'oublie jamais, on apprivoise le manque avec les moyens propres à chacun... Les mots sont souvent inefficaces. Je désirais sincèrement vous remercier. Bien amicalement.

Juliette

Ainsi, elle était bien là dans l'assemblée ce jour-là mais ne s'était pas montrée. Ma gorge a commencé à se serrer à « c'est vous qui les lirez et peut-être les entendra-t-il » et le barrage a cédé à « il n'y a pas d'âge pour se sentir orphelin ». Je crois que, de ma vie, personne n'avait encore pris la peine de m'écrire pour me dire quelque chose d'aussi essentiel et gentil. En dix lignes, avec des mots spécialement choisis, cette femme, que je ne connaissais pas, avait : 1. pris la mesure de mon chagrin et de ma solitude, 2. imaginé que j'avais une route bien à moi qui valait la peine d'être suivie, 3. admis qu'il faudrait du courage pour continuer, 4. présumé qu'avec le temps j'y parviendrais, 5. supposé que les gens qu'on aimait nous entendaient par-delà la mort, 6. me remerciait sincèrement. Je me suis sentie plus réparée par ce paragraphe que par toutes les thérapies du monde. Le cœur battant, et le nez plein de morve, j'ai poursuivi :

Cher Jean-Pierre,

Surprise, peinée, je l'ai été et je le suis encore par l'annonce de ton départ, il me semble que dans mon paysage de vie, une petite lumière vient de s'éteindre et que dans les champs de mes souvenirs, il fait soudain un peu plus sombre. Nous avions treize et quinze ans je crois, tu avais une petite sœur, j'avais un petit frère, dont nous parlions souvent lorsque nos routes se sont croisées sur le chemin de l'école. Tu m'es apparu, perché sur ce vélo dont tu ne te séparais jamais et qui te permettait de faire le chemin entre Carrières et Poissy. Tu me semblais immense juché sur cet engin. En même temps, tu dégageais un sentiment de force qui me sécurisait, je me sentais protégée et ne craignais plus les sorties de cours lorsque tu me raccompagnais, toi roulant dans le caniveau et moi rasant les murs. L'éducation alors était si stricte et si sévère… Qu'auraient dit nos parents s'ils nous avaient croisés ? Moi, j'aurais certainement reçu une « raclée » comme on disait à l'époque. Pourtant nous étions bien sages, deux grands timides se racontant leurs soucis d'écolier. Car rien n'est plus angoissant à l'adolescence que de se projeter dans l'avenir. Et il y avait de quoi parler pour refaire le monde.

J'aimais l'école, pas toi, à cause des brimades des professeurs. Moi, je rêvais d'aller soigner les « petits Noirs » en Afrique et toi tu me disais : « Mais c'est beaucoup trop loin. Pourquoi ne pas plutôt soigner les petits Blancs ici ? », et ça nous faisait rire. Moi j'avais la bougeotte et toi tu me disais n'être bien que sur les rives de la Seine lorsqu'au clair de lune, vous grattiez la guitare avec tes copains. Tu aimais la nature et le chant de son silence. Moi aussi, mais je trouvais que les bords de Seine, c'était trop petit : j'avais envie de grands espaces, de parcourir la planète. À l'époque déjà, un voyage en Alsace avec tes parents t'avait donné l'impression d'être exilé au bout du monde et tu avais retrouvé

Carrières avec soulagement. Je m'étais moquée de toi mais j'aurais tant aimé être à ta place… Avoir hâte de rentrer chez moi…

Nous ne nous rencontrions que sur le chemin de l'école. Parfois, tu me disais être sorti avec des copains le dimanche, mais leur comportement te déplaisait : tirer les sonnettes, renverser les poubelles, se moquer des petits vieux… Tu n'aimais pas ces jeux idiots et tu n'y participais pas car tu pensais : « Si Juliette me voyait, elle me dirait que ce n'est pas bien. » Cela me semblait chevaleresque et je me sentais comme une princesse ! C'était ta délicatesse naturelle qui te guidait et tu m'offrais cela en cadeau.

Ensuite, j'ai dû faire des séjours en préventorium pour raison de santé, éclipse dans nos habitudes. Puis ce fut le brevet : l'école était finie. Tu as été mon seul ami d'adolescence, un ami au sourire malicieux et à l'air constamment étonné, comme un enfant, un ami introverti semblant souvent ailleurs. Voyageur casanier, voyageur en pensée, sans jamais quitter ton nid. Tu étais une présence silencieuse, presque contemplative.

Partie cinq ans pour santé et études, j'ai fait d'autres rencontres, toi aussi, et à mon retour, nous étions des « grandes personnes ». J'ai travaillé dans l'entreprise où était ton père, il m'a appris ton mariage, je lui ai appris le mien, chacun a suivi son destin. Mais tu avais été bon prophète : mon père est décédé peu de temps après alors que mon frère n'avait que quatorze ans. Je suis donc restée dans la région pour aider ma mère, femme au foyer, et j'ai fini par soigner des « petits Blancs ». Par la suite, j'ai soigné des gens de toutes les couleurs mais pas dans la brousse. Ta petite sœur, elle, est partie vivre aux États-Unis.

Au hasard d'une rencontre dans les rues de Poissy, tu m'as annoncé la naissance d'un petit garçon : comme tu avais l'air heureux ! Des années plus tard, tu m'as téléphoné : « J'ai une fille, Anne. » Tu étais au comble du bonheur et lorsqu'un peu plus tard, je t'ai croisé en ville avec cette fillette dans les bras, tu souriais tellement, tu étais si fier...

Comme les dizaines d'un chapelet, les années se sont égrenées, joyeuses et douloureuses pour chacun selon nos épreuves respectives. Nous échangions de brefs bulletins d'information lors de rencontres rares et fortuites, mais avec toujours le sentiment de nous être quittés la veille sur le chemin de l'école... Puis il y a eu les ennuis de santé : ta jambe, la maladie de ta femme. Alors, pour ne pas trop l'inquiéter, de temps en temps, tu m'appelais pour me dire tes angoisses, ton impuissance devant la maladie, mais toujours d'une manière à peine effleurée. Je devinais plus que tu ne l'exprimais, aidée par l'expérience de mon métier, quelles étaient tes inquiétudes... Tu as continué après son départ, me parlant de tes enfants, me répétant souvent : « J'ai de bons enfants, un beau petit-fils. » Puis j'ai eu mon accident. Tu m'as rendu visite à plusieurs reprises et c'est toi qui, en m'offrant un livre de citations du dalaï-lama, m'as aidée à remonter la pente...

Tu m'as appelée en octobre, appel en absence car j'étais dans le Sud. Tu m'as laissé ce message : « Je te rappellerai... mais... » Mais... Si j'avais su... Plus *jamais je n'entendrai : « C'est Jean-Pierre, alors, comment tu vas ma gamine ? » Cette phrase me rendait à chaque fois mes treize ans.*

Tu es parti le jour de la Toussaint, un moment où la nature flamboyante rend du soleil au gris du ciel, où les feuilles d'or tissent sur les chemins leurs plus beaux tapis, ceux que l'on déroule au sol pour les hôtes d'honneur. L'univers a déployé ses ors pour t'escorter et t'accueillir dans sa lumière malgré le chagrin que tu laisses derrière toi : j'ai vu tant de peine dans le regard de tes enfants ! Mais tu vas continuer à vivre dans leur cœur à tous. Et dans le mien, un peu, aussi... Au revoir, Jean-Pierre (tu crois qu'il y a un collège là-haut ?).

Juliette

J'en revenais pas, pas du tout. D'abord qu'elle me dévoile simplement et avec de si jolis mots la vérité de cet attachement adolescent qui avait continué de rougeoyer dans les replis silencieux de leurs existences. Puis qu'elle me dise, l'air de rien, que, depuis toujours, il était fier de nous, de moi, alors même qu'il ne nous l'avait jamais vraiment dit. Enfin, qu'elle me fasse l'ultime cadeau de me confirmer qu'il avait toujours été, avant que la vie, la violence et l'alcool ne viennent s'en mêler, celui que je pensais qu'il était : un juste, un sensible, un contemplatif, un silencieux dans la bulle duquel être admis valait toutes les protections, un ogre timide à qui il était arrivé, autrefois, d'être un adolescent amoureux, de détester l'école et de jouer les Huck Finn devant des feux de camp, le soir, au bord de rivières.

Qu'une autre personne au moins, même inconnue de moi, garde dans son cœur cette image de lui me bouleversait parce qu'encore une fois, quand j'essayais d'évoquer cet aspect de sa personnalité, l'écho était bien faible : on me disait que j'enjolivais, que j'étais arrivée plus tard, que je ne me souvenais pas de tout, qu'il avait quand même exagéré. Oui, sûrement, il avait exagéré et pourtant, c'était bien cette âme-là que j'avais sentie à proximité de la mienne pendant toutes ces années et c'était bien cet homme-là qui, entre deux saouleries, m'avait serrée dans ses grands bras à chaque fois qu'il avait senti que l'angoisse m'agrippait avec ses mains noires. Et cette femme le savait. C'était fou comme elle savait. Elle savait aussi pour les couleurs de l'automne, le chant de la nature, les arbres et l'importance des clairs de lune. Mais elle avait aussi dû sentir l'immobilité, et la vie moyenne que promettait la banlieue. Alors, elle avait tenté sa chance ailleurs, et je la comprenais.

J'ai lu la lettre une seconde fois en me mouchant dans ma manche. Elle avait dû perdre beaucoup de gens dans sa vie pour savoir si bien dire au revoir. Moi aussi maintenant, grâce à elle, je savais comment faire pour lui faire mes adieux. J'ai planté là le râteau et je suis remontée. Sur un des petits coffres moches de l'entrée, j'ai réuni tous ses bouddhas, les grands, les petits, les en métal et les en plastique et j'ai placé tout le monde en petite assemblée. À côté, j'ai posé une armée de minuscules paysans japonais en corne tenant bâtons et fourches, puis le sage chinois à longue barbe et à tête dorée, le bûcheron en bois clair rapporté du Canada, la tabatière en forme de moine bedonnant et rigolard, un petit ours de jade vert dont il aimait les nuances laiteuses et un vieil Indien en plomb qui, assis en tailleur fumait le calumet de la paix avec un air grave. Sur le côté, j'ai installé trois chouettes en céramique et les médailles sur pied de Gandhi, de Montaigne et d'un bison anonyme.

De l'autre côté, j'ai posé son chapeau. Il était content de cet achat tardif, qui allait « bien avec son grand blouson de nubuck marron ». Il disait que ça lui donnait « la classe » mais, en gros déglingo, il n'avait pas pu s'empêcher de faire passer dans le ruban qui le cerclait tout un tas de plumes trouvées par terre : une de tourterelle, une de pie, une dégueulasse de je ne savais quoi et une bleue de geai des chênes, un oiseau très joli mais très méchant qui parfois, au printemps, dévore les enfants des autres. Au milieu, j'ai posé la reproduction format carte postale du saint François de Giotto parlant aux oiseaux, celle d'une gravure japonaise d'un héron vaniteux puis quelques photos. Trois de lui en culotte courte et canotier, le regard gêné par le soleil, caressant un petit chien noir et blanc dans les hautes herbes, avec des adultes marchant d'abord au loin puis plus près et au dos desquelles il avait inscrit : « Moi et mes parents, août 1939. » Une photo de classe datée de 43 où il apparaît au milieu et au dernier rang d'une troupe de gamins souffreteux et sales. Il est le seul à regarder le photographe dans les yeux et, avec un air de défi, semble lui dire : « Ça t'amuse de photographier la misère ? Regarde-moi bien. » Puis une photo de lui en jeune homme au visage coupant, portant guitare, bombardier, paraboots et blue-jean, le pied posé sur une bassine de zinc retournée. Un cliché de sa mère jeune déguisée en petit soldat au garde-à-vous, un autre de son père la clope au bec, le regard dur, avec tablier de boucher et carcasse sur l'épaule. Une photo de nous deux sur un fauteuil, pris dans un rayon de soleil, j'ai deux ans et je suis aussi chauve que lui. Et puis une plus récente prise par moi, en noir et blanc, de lui et ma mère au lac de Neuvic. Ils sont étendus sur la plage et me regardent en souriant. Tout allait mieux, nous étions en vacances chez mon frère, nous étions détendus, heureux d'être ensemble et c'était peut-être bien la première fois que ça nous arrivait. Ensuite, je suis allée chercher dans la bibliothèque ses quatre recueils de haïkus à couverture brune, un pour chaque saison, avec l'idée d'en lire quelques-uns devant tout ce petit monde mais sans bien savoir lesquels. Mais il m'a suffi d'ouvrir les volumes pour qu'apparaissent les feuilles d'érable séchées rouge sang qu'il avait placées là, entre deux feuilles de PQ, aux pages de ses poèmes préférés. Alors, devant ce petit peuple du souvenir, j'ai prononcé lentement et à haute voix :

Soirée brumeuse,
le village au loin
a disparu dans l'obscurité.

Puis :

Les cèdres se dressent,
sur le chemin du retour
vers ma demeure.

Puis :

Dans le vent frais,
parmi la verdure des montagnes,
un temple isolé.

Puis :

Installé dans l'ombre,
abandonnant le salon
à la lune

Puis :

La cloche s'est tue,
reste le parfum des fleurs,
voici le soir

On est restés encore un peu comme ça tous ensemble en silence à regarder nos pieds, en mémoire de lui, puis j'ai été chercher une grande boîte à chaussures que j'ai garnie avec une écharpe douce. J'ai rangé tout le monde dedans, promis que je reconvoquerais le conseil ultérieurement, replié l'écharpe dessus, fermé la boîte, rangé la boîte dans le coffre. Ensuite, j'ai mis son chapeau, je suis montée sur un vélo et je suis partie faire un tour au bord de la Seine. Assise sur la berge en face de la tour Peugeot, en regardant passer, entre deux feuillages, l'eau lourde et mordorée du fleuve, j'ai dit un des haïkus qu'il n'avait pas désigné dans son herbier de fortune mais que j'avais retenu :

Je pense seulement
à mes parents
crépuscule d'automne

Je ne suis revenue dans la maison qu'au printemps. Et puis, peu à peu, de semaine en semaine, grâce aux encouragements de Félicie qui en avait surtout marre de dormir dans ce tombeau glacial tapissé de papiers peints défraîchis et encombré de souvenirs qui n'étaient pas les siens, j'ai fini par tout trier, tout ranger tant bien que mal, lentement, en prenant le temps qu'il fallait.

C'était douloureux mais de lettres en dossiers, de tiroirs en armoires, j'ai lu, rangé, jeté, parfois conservé, remonté calmement le fil de tout un tas d'histoires et découvert que, pour la plupart, elles n'étaient pas toujours aussi tragiques que ce qu'on m'avait raconté. Ils avaient eu des vies difficiles, certes, marquées dans l'enfance, et ça n'était vraiment pas rien, par la guerre. Ils avaient manqué de tout puis travaillé, acheté des voitures, de bonnes moquettes, des linos en promo, des Tupperware, des fours, des livres, des vélos et des machines à laver, entretenu vaguement quelques hobbies, laissé leur porte ouverte et accueilli des étrangers, perdu leurs parents très tôt, rencontré des difficultés, subi inlassablement des choses qui ne leur convenaient pas et marché globalement complètement à côté de leur destin, croyant, comme tous les gens d'origine modeste de leur génération, n'avoir aucun choix en la matière. Ils s'étaient beaucoup fait de mal mais dans l'ensemble, ils étaient restés d'accord sur l'essentiel. Ils nous avaient aimés, poussés, et compte tenu des circonstances, on pouvait dire qu'ils avaient fait de leur mieux.

Cette découverte m'a beaucoup apaisée : nous n'étions donc pas maudits jusqu'à la septième génération et personne ne nous demandait de détruire l'Anneau en le jetant dans la montagne du Destin. Je brûlais de le dire à Jean-François qui depuis toujours se lestait de cette fiction tragique pour l'amour de ces âmes torturées qu'il avait dû, comme tous les aînés, prendre de face en premier. Mais il s'était fait vraiment rare ces derniers temps. Alors, au fil du tri, pour lui ou pour me sentir moins seule devant cet héritage, je ne sais pas, j'ai réuni des preuves de cette évidence, mis de côté des objets et photos qui auraient pu lui rappeler l'amour reçu et le soulager de sa colère, placé dans un carton son dossier scolaire, ses magazines de moto, d'oiseaux, ses disques et autres petites affaires et puis, à tout hasard, regroupé quelques meubles dont j'imaginais qu'il aurait aimé les avoir chez lui. Quand il est enfin venu, tard et à contre-cœur, pour vider les gouttières et résilier trois assurances, nous avons fait un tour de maison. Sans y croire, j'ai essayé de lui montrer certaines choses, de faire de l'humour mais rien n'y a fait. Il était caché derrière son grand mur de briques et sur son visage, dans sa voix, il n'y avait que de l'impatience et de la contrariété.

Ça me faisait une peine infinie qu'il ne souhaite s'attarder sur rien et encore moins sur un chagrin qui aurait pu être le nôtre, quelque chose qu'on aurait partagé avec douceur, des souvenirs qui nous auraient rapprochés ne serait-ce qu'un instant. Comme j'insistais, lui désignant telle table ou tel édredon, ouvrant la boîte que j'avais refermée la veille, exhumant un de ses vieux albums de Kate Bush que papa aimait bien ou lui montrant un vieux tas de *Moto Verte,* il m'a froidement dit : Je ne veux rien de cette maison ni de cette histoire, ni meuble ni vaisselle ni livre, ni rien. Maman m'a écrit une ou deux lettres, j'ai quelques souvenirs, ça me suffit largement. Pour quelqu'un qui, d'ordinaire, n'hésitait pas à se draper dans la mélancolie, je le trouvais bien placide. Après tout, me raisonnais-je, peut-être profitait-il de l'occasion pour s'offrir un nouveau départ. Il n'empêche, j'étais affreusement blessée. Blessée d'avoir encore une fois vérifié que ce que je pouvais penser n'avait pour lui pas le moindre intérêt et profondément triste de constater que, sur les quatre hommes qui comptaient vraiment dans ma vie, l'un était déjà mort et un autre refusait de me parler. Malgré tout, je n'ai rien dit : c'est qu'on avait promis de ne pas se fâcher. Papa avait bien insisté là-dessus – *Pas de ça chez nous, hein, ça n'apporte que de la misère, tu feras bien attention* – pressentant à juste titre qu'on n'aurait certainement pas la même vision des choses.

Il est resté trois heures en tout, a mis dans un sac Leclerc une boîte à bijoux en thuya décorée de nacre qui n'appartenait à personne, un petit pistolet en fer à manche d'ivoire pour son fils et le *Guide de la route 1987* du *Reader's Digest* qui émergeait d'un tas de choses à jeter. Ensuite, il m'a dit qu'il voulait vendre la maison sans attendre, embrassée avec un faux sourire comme on embrasse sa vieille cousine, puis il est reparti en klaxonnant gentiment. Bon vent l'ami, ai-je pensé en agitant la main, puissent ces vieilles cartes te mener à la clairière du bonheur. On s'est juste revus à Noël, histoire de, mais ensuite, pendant un long moment, on s'est arrangés pour ne pas se croiser.

Je ne sais plus trop comment se sont déroulés les mois suivants et surtout, j'ai un mal fou à me le rappeler. Je me souviens juste que ma vie s'est mise à ressembler à un dimanche d'hiver: tout était laid, gris, ralenti, rétréci, obscurci, ankylosé. À part quelques rares montées de désir physique qu'il fallait satisfaire sur-le-champ, même mon corps refusait d'obéir, d'aller vite, d'être souple. Le soldat en moi, le centurion qui d'ordinaire ripaillait de bon cœur et ne dormait que d'un œil, n'avait pas faim, pas soif, fuyait les batailles et regimbait à chaque fois qu'il fallait se mettre au garde-à-vous. Il avait besoin de déposer les armes, d'encaisser, de dormir, d'oublier, de cuver devant la télé. À quoi bon s'agiter, de toute manière, puisque l'empereur était mort.

Ma joie de vivre s'était affaissée comme un vieux pont un jour de crue et je ne pouvais que constater les dégâts en attendant des réparations dont je savais qu'elles prendraient des mois. Pour qui exister et agir désormais? Vers quoi tendre, à qui s'adresser et quelle direction prendre depuis le milieu de rien? Ça donnait le vertige. Heureusement, pour m'accompagner dans cette chute, je disposais tout de même de ses trois importants conseils principaux:

1. *Le temps passe, tu sais.*
2. *La vie est comme la corde d'un instrument: pas assez tendue elle sonne faux, trop tendue elle casse.*
3. *Tout s'enchaîne, tout a une conséquence, et si tu fais pas gaffe, en deux minutes, t'es baisé.*

Mais si le premier était de circonstance, les deux autres ne m'étaient pas d'un très grand secours. Et le temps, finalement, ne passait pas tant que ça. Je me traînais donc, sur un sol vacillant, du lit au métro, du métro au bureau et du bureau au canapé en essayant de faire bonne figure dans des habits propres et repassés mais en vrai, j'étais à poil et je crevais de solitude. Je me sentais aussi seule que sur un quai de RER à attendre, dans le vent glacial des correspondances, un train qui n'arriverait pas.

Pourtant, seule, je ne l'étais pas : il y avait ma fiancée, si joyeuse, et le cercle apaisant de mes amis sincères qui, pour certains, avaient tout de même tendance à oublier qu'on ne se relève pas de ça aussi vite que d'une grippe. Je ne leur en voulais pas : ils souhaitaient que j'aille mieux, mais je ne pouvais pas aller plus vite.

L'autre versant de cette asthénie, c'était l'impatience et la rage qui s'emparaient de moi sans crier gare. L'injonction au bonheur, affichée partout, était particulièrement pénible. Au supermarché, au café, à la pharmacie, dans la rue, j'avais envie de leur jeter à la gueule leurs pauses gourmandes, leurs pizzas *deliziosa,* leurs instants détente en carton, leurs sélections gourmets, leurs moments tendresse, leurs étuis malins, leurs crèmes merveilleuses, leur PQ confort, leurs cafés-je-jouis, leurs glaces-tu-suces, leurs yaourts magiques et leurs océans de fraîcheur.

Non, la vie n'était ni une pause gourmande ni un instant détente, ni un océan de fraîcheur, et ça me rendait dingue que tout le monde fasse comme si de rien n'était. La mort rôdait, le monde s'écroulait et pourtant, il fallait choisir entre le « Délice de Surimi » et le « Saumon Sensation », trouver exquises des salades dégueulasses, intéressantes des choses qui ne l'étaient pas, vivre au superlatif et acquiescer au mensonge général. « Ta gueule, gros bouffon, tu patauges dans le vide », avais-je même lancé à un genre de Patrick à la coupe en brosse, aux chaussures pointues et aux lunettes en titane, du style à faire du cyclotourisme le dimanche, qui s'agaçait que, chez le traiteur japonais, je n'arrive pas à me décider.

De façon générale, à part l'amitié, l'amour et peut-être la musique et la littérature, toutes les tentatives pour camoufler le vide et la violence sur lesquels toute chose reposait me semblaient obscènes, péremptoires. En visite près de Limoges, chez une amie taiseuse et poète un riant jour de mars – quelle idée d'aller à Limoges en mars aussi –, j'avais fait une crise d'angoisse carabinée non loin du marché local en découvrant, au détour d'une rue, dans un morne village où ne circulaient que de vieilles personnes et des dames en polaire aux cheveux courts et prune, une pauvre maison crépie de gris sale donnant sur un rond-point, de celles qu'on trouve au bord des nationales et devant lesquelles passent des quinze-tonnes. Elle était apparemment habitée par un optimiste qui avait eu envie de troquer sa fenêtre en bois brun contre un élégant double vitrage à croisillons blancs orné d'un rideau ajouré où gambadaient des chevaux. Mais le maçon avait travaillé comme un cochon, étalant de travers le ciment frais et le laissant dégouliner au-delà de l'embrasure sur le vieux crépi sombre. Le résultat était à pleurer. Un désastre absolu, une allégorie de la désolation : le laid remplaçant le laid jusqu'à l'infini, sans espoir possible, à cause des mauvaises décisions d'un bon à rien désinvolte.

L'optimiste, sûrement déçu mais probablement trop fauché pour pouvoir exiger de nouveaux travaux, semblait alors avoir décidé de faire contre mauvaise fortune bon cœur en plaçant, sur le rebord triste, une pimpante jardinière fuchsia pleine de vaillantes petites pensées qui grelottaient dans le vent d'hiver. Tous ces efforts pour que les choses aient l'air gaies, toute cette agitation pour maquiller l'abîme, ça me collait un cafard d'enfer. Et moi j'étais là, à ce rond-point, près de Limoges, un 15 mars, à me demander comment j'allais faire pour maquiller le mien.

Le reste du temps, les mous, les mesurés, les polis et les naïfs me sortaient par les yeux. En plein milieu des « débats » sur le mariage pour tous, dans une réunion de crise des groupes LGBT, j'avais méchamment envoyé chier deux militantes nouvellement déclarées, des Bécassine grandes écoles au poil soyeux et à la veste bien coupée, qui venaient de se découvrir minoritaires et qui, alors même qu'on se prenait des seaux de merde depuis des semaines de la part des psychiatres, des curés et des réacs de tous bords, socialistes inclus, prônaient les vertus du dialogue, trouvaient efficace de distribuer des tracts contre l'homophobie et utile de nous expliquer à nous autres, pauvres précaires aux VAE incertaines, comment nous organiser politiquement.

Des tracts? avais-je couiné avant de faire violemment tomber un tabouret. C'est l'heure de sortir les barres de fer, et vous, vous voulez faire des tracts? Les gens nous traitent de monstres, de malades, de pédophiles, et vous, vous voulez faire des tracts? Mais dans quel monde vous vivez? avais-je suffoqué avant d'être exfiltrée par Emilio vers le bar le plus proche. Au bout de quelques verres, j'avais pleuré comme une poivrote et j'étais rentrée me coucher. Le lendemain, on m'avait fait les gros yeux par SMS mais j'en avais rien à foutre : je m'étais peut-être trompée d'endroit mais, d'une certaine façon, répondre à ces niaiseries de winners qui découvrent en touristes le pays de l'Injustice avait été une modeste manière d'honorer sa mémoire de vaincu.

Finalement, ce qui me semblait le plus difficile, c'était de ne plus l'entendre du tout, de ne plus avoir de nouvelles de lui, et au début, machinalement, je regardais mon téléphone pour vérifier qu'il ne m'avait pas appelée, mais non. Une fois, j'avais même composé son numéro pour voir mais j'étais juste tombée sur la voix vraiment désolée de la dame des télécoms qui disait que ce numéro n'était plus attribué. C'était un peu dingo de faire ça mais après tout, lui-même n'était pas hermétique à ces histoires de mondes parallèles. Il me l'avait dit : Je suis sûr qu'on n'est pas seuls et qu'il y a des choses qu'on ne voit pas.

De toute manière, penser qu'il était mort et que c'était tout, hop, voilà, rideau, ça ne m'allait pas, ça ne collait pas avec le reste, ça ne collait d'ailleurs avec rien. Et bizarrement, plus les semaines passaient et moins ça me semblait réel. Alors, sans en parler à personne, j'ai passé toutes mes pauses déjeuner à la FNAC de la gare de l'Est où j'ai écumé l'étagère Spiritualités. C'était bien, c'était paisible. Les gens allaient, venaient, feuilletaient, étaient occupés par leur voyage à venir et ne remarquaient pas la fille taciturne aux grands cernes qui hantait le rayon. J'ai trouvé dans ces livres-là, et surtout dans les récits des médiums, de quoi me raconter la suite de l'histoire. Une histoire un peu croquignole à base d'âmes qui entraient dans la lumière, se reposaient un peu, genre six à huit mois, histoire de, puis continuaient d'exister dans un monde différent où elles évoluaient en mieux, faisaient exclusivement ce qu'elles aimaient faire et se mettaient à vibrer à une autre fréquence.

Un conte à base d'anges qui vous caressent la joue, de guides et de défunts qui ne vous laissent pas tomber et continuent de vous parler pour peu que vous sachiez voir les signes. Et petit à petit, en contemplant les choses comme il me l'avait appris, je me suis mise à en voir un certain nombre. Pas des faux trucs hein, de bonnes vieilles coïncidences troublantes, comme dans les livres : je pensais à Machin qui pourrait m'aider à sortir de mon trou professionnel, et alors que je ne l'avais pas vu depuis des lustres, toc, Machin apparaissait au coin de la rue. Je cherchais un appartement, et toc, le proprio n'était autre que le cousin de la sœur de Bidule avec qui j'avais été à l'école. Au travail, alors que je négociais mon départ, toc, le comptable s'était emmêlé la calculette me laissant largement de quoi me retourner. Chez l'ostéo, la radio à très bas volume avait été prise de folie alors que le praticien s'apprêtait à me dévisser la tête. À la laverie, une femme tout ce qu'il y avait de plus normal était rentrée et s'était approchée de moi pour me dire : Sois courageuse, ma fille, ça va aller pour toi, mais arrête de fumer ou ça te tuera. Peu à peu, l'incrédulité s'était transformée en une forme d'amusement et de gratitude et je souriais dans ma barbe à chaque nouvelle occurrence : on me guidait, on me protégeait, on m'offrait des options, on me consolait. J'allais mieux.

Et puis un jour de pluie spécialement triste, à un passage piéton devant la gare de l'Est, dans le fracas infernal des bus et de la circulation, avait surgi de nulle part, au moment où j'allais passer, une R19 grise anormalement lente au pare-chocs abîmé. Malgré sa faible allure, elle avait freiné juste à temps pour me laisser traverser. Sous les trombes d'eau, derrière des essuie-glaces réglés au max, un homme d'un certain âge m'a fait signe de passer en levant la main d'une drôle de façon. De sous mon parapluie, j'ai répondu machinalement avec un petit geste en pensant, c'est qui ce taré, puis je me suis dépêchée de traverser parce qu'il pleuvait de plus en plus fort.

Mais en arrivant sur l'autre trottoir, je me suis retournée parce que c'était quand même étrange cette manière qu'il avait eue d'agiter la main et puis ce pare-chocs aussi... J'ai cherché la voiture des yeux. Elle avait tourné à droite juste après et attendait à un autre feu tout proche. J'ai tendu le cou pour y voir mieux et, au moment où mon regard s'est finalement posé sur lui, l'homme s'est retourné et j'ai eu l'impression qu'il me souriait. Je voyais vraiment pas grand-chose à cause de la pluie mais j'ai souri aussi. Il a refait le même geste de la main auquel j'ai répondu une nouvelle fois. Et puis le feu est passé au vert et quelqu'un a klaxonné alors il a redémarré. Ce n'est que quand il a de nouveau tourné vers la droite, que j'ai aperçu la manche marron, le chapeau sur le tableau de bord et le petit chien noir et blanc assis sur le siège passager qui regardait dehors à travers la vitre embuée.

J'ai traîné mes nuages noirs derrière moi encore un moment, mais leur taille réduisait et les éclaircies étaient plus nombreuses. J'avais quitté mon travail avec soulagement et, pour m'occuper, en attendant de faire autre chose, je passais des disques dans une nouvelle soirée qui marchait bien. On avait même fait une mini-tournée en province à base de train Intercités, de thermos de thé et d'auberges de jeunesse à lino canard que, contre toute attente, j'avais trouvées chaleureuses et accueillantes. Faire danser des gens en passant de la musique trop fort était un puissant antidote aux remontées acides du désespoir. Pas de cadavres devant soi, mais des corps rendus à la vie qui dansaient pour tromper la mort. Sinon, le oui l'avait finalement emporté à l'Assemblée, ce qui avait donné lieu, dans nos rangs, à quelques fêtes mémorables et à un sentiment d'unité inédit. À Carrières, avec Félicie, on avait repeint l'intégralité des pièces de la maison en gris et blanc si bien qu'en fermant fort les yeux sur le décor extérieur, la nationale et la place de la mairie, ça ressemblait presque à une maison de bord de mer. On a fait des apéros, des barbecues, des dîners, on a planté des fleurs et même acheté des jardinières. Le temps s'écoulait, j'oubliais, je riais, et puis l'été est finalement arrivé. Je regardais encore un peu les chemises fleuries et les tentatives d'enjolivement général avec un certain mépris mais dans l'ensemble, c'était tolérable. Ensuite, on a pris des bonnes grosses vacances en Espagne à musarder ici et là, de golfes clairs en chambres d'hôtel vintage. On reprenait la route dès qu'on s'ennuyait. À la mi-août, en remontant de la Catalogne vers Narbonne, on avait ricané en passant devant les panneaux indiquant la direction des villages d'Ultramort et d'Amer et on avait même fait demi-tour pour se prendre en photo devant parce qu'il était temps de se remettre à rire.

Plus loin sur la route, on s'est arrêtées pour prendre de l'essence dans la station-service pourrie d'une zone industrielle et, alors que Félicie était en train de remplir le réservoir, j'ai commencé à me sentir pas très bien. Je ne savais pas vraiment pourquoi, l'idée de rentrer, probablement. La chaleur me semblait tout à coup insupportable tout comme la laideur de l'endroit. Juste derrière la station essence, il y avait une série de bâtiments de tôle abandonnés, entourés d'un vilain grillage rouillé où s'étaient collés, à cause du vent, des sacs plastique colorés et des papiers gras. J'ai tourné la tête mais le décor sur le trottoir d'en face n'était guère mieux : deux poids lourds monstrueux façon *Duel,* aux cabines desquels les rideaux étaient tirés. Et pour nous sortir de cet enfer triste, rien d'autre qu'une petite route abîmée et poussiéreuse. J'ai respiré bien fort et en rythme pour juguler l'angoisse qui montait. Félicie est remontée dans la voiture et s'est garée un peu plus loin en jurant. Sa Carte Bleue était dans son short, qui était dans le sac de plage, qui était dans le coffre et le gros con en 4 × 4 derrière nous commençait à s'impatienter. En repartant payer, elle a laissé le contact et j'ai monté le volume de la radio pour essayer de penser à autre chose. Dans le coin, on ne captait rien à part RMC, RTL, du folklore espagnol, et une station musicale qui ne débitait que des morceaux compressés à mort et des pubs ultra-crispantes censés donner aux vacanciers une irrésistible envie de se détendre – trop cool les vacances, trop cool le camping et les claquettes, trop cool le kilo de brochettes à seulement 13,80 – mais là, entre deux jingles, s'avançait une chanson romantique à l'intro hispanisante. J'ai tendu l'oreille. Quand la voix a démarré, j'ai instantanément reconnu Céline Dion. Céline… Je n'étais pas une grande fan mais ça valait mieux que les litanies autotunées qu'on entendait partout et cette femme était suffisamment cinglée pour être intéressante. Alors j'ai pensé : Allons-y Céline, dis-moi tout.

Je me suis d'abord laissée emporter par le jeu des rimes, essayant de deviner quel serait le prochain mot en *an* ou en *ourse* : *Je voudrais oublier le temps / Pour un soupir pour un instant / Une parenthèse après la course / Et partir où mon cœur me pousse.* Au-delà de la platitude abyssale du poème et de la ritournelle ridicule, je trouvais tout ça vachement vrai. Elle poursuivait: *Je voudrais retrouver mes traces / Où est ma vie où est ma place / Et garder l'or de mon passé / Au chaud dans mon jardin secret.* C'était fou comme cette mauvaise récitation me parlait et je commençais même à être carrément émue. Je la laissai tranquillement monter dans les tours: *Je voudrais passer l'océan, croiser le vol d'un goéland / Penser à tout ce que j'ai vu ou bien aller vers l'inconnu / Je voudrais décrocher la lune, je voudrais même sauver la terre.* Ouais, bon, on va pas s'emballer non plus, faudrait pas trop exagérer...

Et puis là, sans prévenir, le refrain m'a sauté à la figure comme un animal enragé: *Mais avant tout, je voudrais parler à mon père.* Dans mon cœur, ça a fait comme une déflagration et je me suis mise à sangloter sans pouvoir m'arrêter. Félicie est remontée en voiture juste après, effarée, se demandant ce qui avait bien pu se passer entre le moment ou elle était partie payer et le moment où elle était revenue. Comme je n'arrivais pas à lui répondre, elle a redémarré toutes fenêtres ouvertes dans le vent du soir et c'est en entendant le reste de la chanson qu'elle a fini par comprendre. Mes toutes dernières larmes sont sorties ce jour-là. J'avais enfin accepté. Si on m'avait dit que Céline Dion m'aiderait un jour dans ma vie à passer ce style de cap, je ne l'aurais pas cru. La catharsis par la pop – *check*.

Fin septembre, je suis quand même allée voir mon frère et sa famille dans leur maison du Perche, un corps de ferme humide et un peu endormi au bout d'un chemin bordé d'une forêt. Il me manquait, je m'inquiétais pour lui et pour dire la vérité, je voulais surtout qu'on arrête d'être fâchés. Malgré tout, je redoutais cette visite : nous nous étions quittés tendus et, torturé et triste comme il l'était ces derniers temps, je craignais que pour lui les nuages ne se soient pas encore tout à fait dissipés et que nos échanges s'en trouvent entravés. J'avais eu des nouvelles d'eux par bribes via ma tante qui leur téléphonait régulièrement : ça allait bien, moins bien, mieux, pas trop mal, plutôt mieux. Clémence avait obtenu de ne plus travailler que quatre jours sur cinq au parc naturel où ils étaient tous les deux animateurs, Tim allait entrer au CE1, les vacances avaient été bonnes, ils étaient allés se promener dans la Creuse, puis dans la Marne, puis dans le Cotentin et puis, à la rentrée, ils avaient trouvé une jeune pie tombée du nid pile devant la porte de leur bureau. Ils l'avaient évidemment recueillie, soignée, nourrie et elle était paraît-il restée avec eux depuis lors. J'avais souri au téléphone en apprenant la nouvelle parce que c'était quand même une drôle de coïncidence. Depuis toujours, Jean-François était spécialiste des oiseaux. Il connaissait toutes les espèces, leurs couleurs, leurs habitudes, leurs habitats de prédilection, leurs cris et je l'avais vu déjà faire venir sur des branches, à quelques mètres de nous, buses, coucous et chouettes effraies. Et puis quand il était ado, en plus du corbeau sauvé des plombs d'un chasseur, il avait justement possédé deux pies bleues de Chine. J'étais petite et je ne me souviens plus du nom qu'il leur avait donné mais il leur avait construit une vaste volière sous les tilleuls dans la cour. Pourtant, la plupart du temps, elles étaient dans la maison avec nous, se perchant ici et là et, sur une photo que j'avais retrouvée, on en voyait une picorer un œuf sur la table de la cuisine.

Avec ma tante, nous sommes arrivées à l'heure du déjeuner. Tim a couru vers nous pour nous dire bonjour suivi par Clémence puis par Jean-François qui nous a accueillies avec un large sourire. Et alors que nous nous embrassions, la jeune pie curieuse est sortie par la porte ouverte de la maison pour venir se poser sur sa tête dans un vol plané maladroit. Sa gaucherie nous a fait rire et a aussitôt dissipé toute forme de gêne.

On avait à peine ôté nos manteaux que ça a été mon tour. D'un coup d'aile malhabile, avec un sens des distances qu'on sentait encore incertain, elle s'est posée sur mon épaule et a commencé à me pincer doucement le lobe de l'oreille, croyant peut-être qu'il s'agissait d'un fruit. Le contact du bec de l'oiseau était un peu étonnant mais je l'ai laissée faire en essayant de garder mon sérieux.

Comme elle pinçait un peu plus fort et que je commençais à grimacer, Jean-François l'a prise et posée sur l'armoire pour qu'on puisse commencer à manger en lui demandant d'être sage un instant. Elle l'a regardé avec une certaine insolence et dès qu'on a été installés, le manège a repris. C'est sur la tête de Clémence qu'elle s'est posée alors que tournait le plat de carottes râpées, puis sur un dossier de chaise à proximité du pain, puis sur l'épaule de Tim où elle a fait mine de se calmer avant de se mettre à tirer sur le col de son polo. Il lui a donné un petit morceau de jambon et elle est repartie sur l'armoire avec son butin. Elle était si drôle... Comme elle revenait à la charge, Jean-François l'a remise dans sa cage et a fermé la porte pour qu'on puisse déjeuner tranquillement. Elle a protesté avec un petit jacassement puis s'est mise à bouder avant de s'assoupir. Pendant tout le repas, on a regardé l'oiseau, discuté de l'oiseau, de son sauvetage, de son audace, de ses belles couleurs. La joie était revenue sur le visage de tous et c'était si inattendu que j'en étais tout émue. L'après-midi, on s'est promenés, on a fait des courses, puis on a joué au foot avec Tim et Jean-François a bricolé dans son atelier. La pie, remise en liberté, le suivait partout en faisant des petits bonds ou bien elle venait nous voir pour essayer de défaire nos lacets qu'elle prenait visiblement pour des vers de terre. C'était fou comme elle était familière.

Le soir, comme souvent, mon frère a pris sa guitare et, installés en cercle sur le lit qui leur servait de canapé, on s'est mis à chanter ensemble. La pie qui trifouillait un papier quelque part dans la cuisine a rappliqué sur-le-champ et s'est installée sur le manche en poussant un petit cri. On riait parce que ça devenait compliqué d'exécuter les accords et que Jean-François en rajoutait en la poussant doucement. Finalement, elle s'est posée sur mon genou et bercée par nos voix, elle s'est endormie. Alors on s'est mis à chuchoter pour ne pas la réveiller. C'était si doux et on était si bien. Personne ne l'a dit mais à ce moment-là, c'est devenu clair pour tout le monde que l'oiseau n'était pas venu par hasard.

Le lendemain après-midi, on est allés faire une balade dans la campagne alentour sur un chemin cerné de hautes herbes. Un orage se préparait et le vent agitait violemment le ramage des peupliers qui bordaient le champ. On avait emmené la pie qui passait d'épaule en épaule ou sautillait derrière nous, ce qui nous obligeait à nous retourner sans arrêt pour savoir où elle était. À un moment, alors qu'on l'attendait, elle est arrivée de nulle part en vol plané, s'est posée successivement sur chacune de nos têtes, puis sur celle de Jean-François, un très long moment, avant de s'envoler vers un arbre, puis un autre d'où elle s'est mise à nous regarder. L'orage a fini par éclater. Sous les rafales, la campagne semblait devenue folle et ça ressemblait un peu à la fin du monde. On commençait à être trempés et il allait falloir rentrer mais la pie ne semblait pas décidée. Dans le tourbillon de vert et de vent, Jean-François s'est approché d'elle, l'a appelée une ou deux fois. Alors elle a poussé un dernier cri et a disparu pour toujours dans la pluie.

Chez le même éditeur

FRANÇOISE ASSO
Déliement
Reprises
Par-dessus le toit
PATRICK AUTRÉAUX
Se survivre
Le Grand Vivant
La Voix écrite
JÉRÔME D'ASTIER
Les Jours perdus
LUTZ BASSMANN
Haïkus de prison
Avec les moines-soldats
Les aigles puent
Danse avec Nathan Golshem
Black Village
PIERRE BERGOUNIOUX
Le Grand Sylvain
Le Matin des origines
Le Chevron
La Ligne
Simples, magistraux et autres antidotes
Un peu de bleu dans le paysage
Back in the Sixties
Carnet de notes 1980-1990
Carnet de notes 1991-2000
Carnet de notes 2001-2010
Carnet de notes 2011-2015
Les Forges de Syam
Une chambre en Hollande
La Capture (coffret livre et DVD)
Correspondance, 1981-2017
    (avec Jean-Paul Michel)
FRANÇOIS BON
Temps machine
L'Enterrement
Prison
Le Solitaire
Paysage fer
Mécanique
Quatre avec le mort
DAVID BOSC
La Claire Fontaine
Mourir et puis sauter sur son cheval
Relever les déluges

PATRICK BOUCHERON
Léonard et Machiavel
Prendre dates (avec Mathieu Riboulet)
JOË BOUSQUET
D'un regard l'autre
Papillon de neige
Les Capitales
GÉVA CABAN
La Mort nue
BÉATRICE COMMENGÉ
La Danse de Nietzsche
Une vie de paysages
JEAN-LOUIS COMOLLI
Une terrasse en Algérie
MARIE COSNAY
Villa Chagrin
ESTHER COTELLE
La Prostitution de Margot
DIDIER DAENINCKX
Retour à Béziers
La Mort en dédicace
Cannibale
Le Dernier Guérillero
Les Figurants
La Repentie
Cités perdues
Histoire et faux-semblants
Rue des Degrés
Le Goût de la vérité
EMMANUEL DARLEY
Un gâchis
Un des malheurs
MARC DELOUZE
C'est le monde qui parle
PIERRE DEMARTY
Le Petit Garçon sur la plage
RICHARD DEMBO
Le Jardin vu du ciel
LAURE DES ACCORDS
L'Envoleuse
Grichka
MICHÈLE DESBORDES
La Robe bleue
La Demande
L'Habituée
Un été de glycine
L'Emprise
Les Petites Terres

CAMILLE DE TOLEDO
  L'Inquiétude d'être au monde
TONINO DEVIENNE
  Domaine de Breakdown
FRANÇOIS DOMINIQUE
  Solène
  Dans la chambre d'Iselle
PIERRE DUMAYET
  Le Parloir
  La Maison vide
  La vie est un village
  La Nonchalance
  Brossard et moi
EUGÈNE DURIF
  Une manière noire
VINCENT EGGERICX
  L'Art du contresens
  Peau d'ogre
  Mémoires d'un atome
CLAUDE ESTEBAN
  L'Ordre donné à la nuit
  Trois Espagnols. Goya, Velázquez, Picasso
IVAN FARRON
  L'Appétit limousin
ALAIN FLEISCHER
  Mummy, mummies
  Pris au mot
  Grands hommes dans un parc
BENJAMIN FONDANE
  Le Mal des fantômes
  Écrits pour le cinéma
  Le voyageur n'a pas fini de voyager
FRANÇOIS GARCIA
  Federico! Federico!
  Le Remplacement
  Bye bye, bird
CHRISTIAN GARCIN
  Labyrinthes et Cie
  *La neige gelée ne permettait
    que de tout petits pas*
  L'Autre Monde
  La Piste mongole
  Des femmes disparaissent
  Ienisseï
ARMAND GATTI
  Le Couteau-toast d'Évariste Galois
  La Parole errante
  Œuvres théâtrales
  L'Enfant-rat
  Les Arbres de Ville-Évrard
  Le Poisson noir – Un homme seul
  Notre tranchée de chaque jour
  Les Analogues du réel
  Le Monde concave
  Opéra avec titre long
  La Traversée des langages

MICHAËL GLUCK
  Partition blanche
GEORGES-ARTHUR GOLDSCHMIDT
  Le Poing dans la bouche
  Le Recours
  Celui qu'on cherche habite juste à côté
SYLVIE GRACIA
  L'Ongle rose
PAVEL HAK
  Vomito negro
JEAN-BAPTISTE HARANG
  Jours de Mai
  Prenez un coq
LAURENT JENNY
  Le Lieu et le Moment
GIL JOUANARD
  Le Jour et l'Heure
  Le Goût des choses
  Plutôt que d'en pleurer
  D'après Follain
  Mémoire de l'instant
  Bonjour, monsieur Chardin!
  L'Envergure du monde
MICHEL JULLIEN
  Compagnies tactiles
  Au bout des comédies
  Esquisse d'un pendu
  Yparkho
  Denise au Ventoux
  L'Île aux troncs
LUBA JURGENSON
  Au lieu du péril
ANNIE LE BRUN
  Appel d'air
SAMY LANGERAERT
  Mon temps libre
RAYMOND LEPOUTRE
  Ernesto Prim
ALAIN LERCHER
  Le Jardinier des morts
  Les Fantômes d'Oradour
  Le Dos
  Prison du temps
ALAIN LÉVÊQUE
  D'un pays de parole
  Bonnard, la main légère
  La Maison traversée
  Le Ruisseau noir
MARIELLE MACÉ
  Sidérer, considérer
CHRISTOPHE MANON
  Extrêmes et lumineux
  Pâture de vent
HUGO MARSAN
  Le Corps du soldat
  Le Balcon d'Angelo

JEAN-YVES MASSON
L'Incendie du théâtre de Weimar
L'Isolement
Ultimes vérités sur la mort du nageur
COLETTE MAZABRARD
Monologues de la boue
Un jour, on entre en étrange pays
DANIEL MESGUICH
L'Éternel Éphémère
JEAN-PAUL MICHEL
Correspondance, 1981-2017
    (avec Pierre Bergounioux)
NATACHA MICHEL
Autobiographie
Plein présent
PIERRE MICHON
Vie de Joseph Roulin
Maîtres et Serviteurs
La Grande Beune
Le Roi du bois
Trois auteurs
Mythologies d'hiver
Abbés
Corps du roi
L'Empereur d'Occident
Les Onze
Vermillon (avec Anne-Lise Broyer)
Je veux me divertir
Dieu ne finit pas
Fie-toi à ce signe
MAURICE NADEAU
Le Chemin de la vie
CLAUDE PÉREZ
Amie la sorcière
Conservateur des Dangalys
JACKIE PIGEAUD
Théroigne de Méricourt,
    La lettre-mélancolie
CHRISTOPHE PRADEAU
La Souterraine
La Grande Sauvagerie
Les Vingt-Quatre Portes du jour
    et de la nuit
JACQUES RÉDA
La Sauvette
Le Lit de la reine
Les Fins Fonds
L'Affaire du Ramsès III
MATHIEU RIBOULET
L'Amant des morts
Avec Bastien
Les Œuvres de miséricorde
Prendre dates (avec Patrick Boucheron)
Lisières du corps
Entre les deux il n'y a rien
Quelqu'un s'approche
Le regard de la source
Nous campons sur les rives

OLIVIER ROLIN
La Langue
Bric et broc
Veracruz
Sibérie
EMMANUELLE ROUSSET
L'Idéal chaviré
Saturnales de Swift
Oaristys
LIONEL RUFFEL
Trompe-la-mort
JEAN-JACQUES SALGON
07 et autres récits
Le Roi des Zoulous
Ma vie à Saint-Domingue
Place de l'Oie
Parade sauvage
Obock
DOMINIQUE SAMPIERO
La Lumière du deuil
Le Dragon et la Ramure
MICHEL SÉONNET
La Tour sarrasine
Que dirai-je aux enfants de la nuit?
ANNE SERRE
Le · Mat
Petite table, sois mise!
DOMINIQUE SIGAUD
Partir, Calcutta
Dans nos langues
PIERRE SILVAIN
Le Jardin des retours
Julien Letrouvé colporteur
Assise devant la mer
Les Couleurs d'un hiver
BERNARD SIMEONE
Acqua fondata
Cavatine
SARAH STRELISKI
Accident
PHILIPPE SOLLERS
Le Saint-Âne
EMMANUEL VENET
Ferdière, psychiatre d'Antonin Artaud
Précis de médecine imaginaire
Rien
Marcher droit, tourner en rond
GUY WALTER
Un jour en moins
Outre mesure
ANTOINE WAUTERS
Nos mères
Moi, Marthe et les autres
Pense aux pierres sous tes pas

Andre – le curé
anne –

Cet ouvrage a été achevé d'imprimer en juin 2020
dans les ateliers de Normandie Roto Impression s.a.s.
61250 Lonrai
N° d'imprimeur : 2002192
Dépôt légal : juin 2019

Imprimé en France